DEUTSCHLAND UND JAPAN DER GEGENWART

MAREI MENTLEIN　AKIRA IKEGAMI　YURIYA MASUDA

本音で対論！

いまどきのドイツと日本

マライ・メントライン
池上彰
増田ユリヤ

PHP研究所

はじめに

極端な毀誉褒貶の嵐！

これが最近の「ドイツ情報」をとりまく言論の空気だ。

戦争責任、外国人受け入れ、対米スタンスからコロナ問題への対処の手際に至るまで、何かとドイツの動向は日本との比較ネタに使われる。そして「素晴らしい！」とむやみにアゲられたり、「偽善じゃねーか！」とサゲられたりする。

もちろん世代や思想、社会的なポジションによって見解に相違が生じるのは当然だが、特にネット言論で極論化がひたすら加速するイマドキの状況下、とても同じ惑星の同じ国の事象について語っているとは思えない乖離や矛盾が拡散する情景には、ちょっとどうよ？　と思わずにいられない。

扇情的な極論に流されず、是々非々的な思考を展開するためにも、どこかでドイツ情報の「ほどよい」まとめ・再構築の場があればな……と感じていたところ、今回このような鼎談チャレンジの機会をいただいた。

池上彰氏は、多くの人にとって冷戦期までの世界構造（と、特にぶっちゃけ的な力学）の説明の「原体験」となっている、言い換えれば、その世代を象徴する問題意識と好奇心をガッツリ存分に引き受けてこられた方であり、今回はまさに「世代的認識」代表としての角度からドイツへの思い・好奇心・疑問をぶつけてくださった。
ポスト冷戦的な理念とそのウラオモテに造詣が深い増田ユリヤ氏からは、世界各国への豊富な取材・社会体験をもとに「その中でのドイツの真価は?」という観点から多角的に問題提起をいただいた。
そしてそれを、リアルドイツ人ではあるが一介の市井人でもある私、マライ・メントラインが、ドイツを「アゲもサゲもせず」率直に受け止めて見解を語るのが、本書の基本的な流れになっている。

基本的に三者三様、バトるわけではないが自らの社会的座標を背負っての濃厚な本音しか語っていない感があるので、この極論の時代の渦中、読者の方の知的生活にとって何かしら有益なネタなりひらめきをもたらす一助にもなればと願う次第。

ということで、次ページ以降、どうぞよろしくお願いいたします。

マライ・メントライン

本音で対論！ いまどきの「ドイツ」と「日本」――◎目次

Contents

第3章 教育を考える

――議論スキルを阻害するものは何か？

第4章 社会保障を考える——人は何を頼りに生きるのか？

Contents

第5章 家族のあり方を考える ——幸福の起点には何が必要か？

第6章 政治のあり方を考える ——「非リア充の時代」が来るのか？

Contents

第7章 持続可能な社会に向けて ——意地&見栄で加速してもいいじゃないか!

第1章

ヨーロッパ・ピクニック計画 (1989年8月19日)
East German refugees flee through a gate near Sopron August 19, 1989. REUTERS/Herbert Knosowski (HUNGARY) BEST QUALITY AVAILABLE 写真：ロイター／アフロ

日本とドイツ
――それぞれの出会い

1-1 日本とドイツを比べてみよう

面積：377,971 ㎢

人口：1億2,622万人

青森県
秋田県
岩手県
山形県
宮城県
北海道
新潟県
福島県
石川県
栃木県
富山県
群馬県
長野県
茨城県
福井県
埼玉県
山梨県
東京都
鳥取県
岐阜県
京都府
神奈川県
千葉県
島根県
滋賀県
愛知県
静岡県
岡山県
兵庫県
広島県
大阪府
三重県
山口県
香川県
奈良県
徳島県
福岡県
愛媛県
和歌山県
佐賀県
大分県
高知県
長崎県
熊本県
宮崎県
鹿児島県
沖縄県

Japan

平均寿命：
女性 86.9歳
男性 81.5歳

面積：357,340 ㎢

人口：8,319万人

シュレースヴィヒ＝ホルシュタイン州
メクレンブルク＝フォアポンメルン州
ハンブルク州
ブレーメン州
ブランデンブルク州
ニーダーザクセン州
ベルリン州
ザクセン＝アンハルト州
ノルトライン＝ヴェストファーレン州
ザクセン州
チューリンゲン州
ヘッセン州
ラインラント＝プファルツ州
ザールラント州
バイエルン州
バーデン＝ヴュルテンベルク州

Deutschland

平均寿命：女性 84.8歳　男性 78.7歳

1-2 「ベルリンの壁」崩壊ってなに？

ドイツ

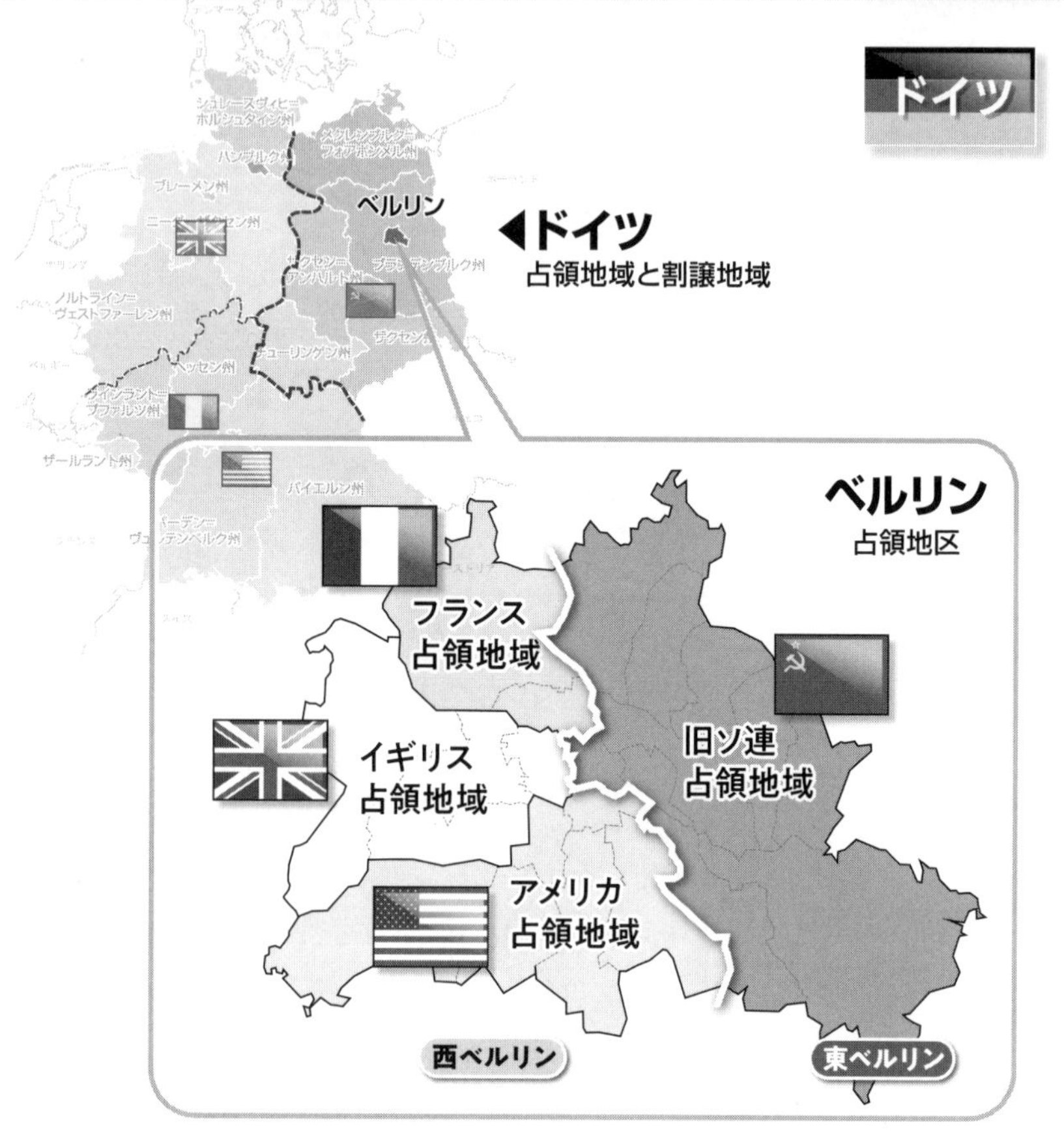

【2つに分割されたドイツ】

1945年5月8日、第二次世界大戦は終結した。無条件降伏をしたドイツは、アメリカ、イギリス、フランス、ソ連の4戦勝国により分割統治されることに。ソ連統治地区にある首都ベルリンもまた、その中で4つの地区に分割された。

当初、共同統治とされた4地区は、次第に「資本主義経済」陣営（アメリカ、イギリス、フランス統治）の西側 VS.「社会主義経済」陣営（ソ連統治）の東側という、冷戦構造が鮮明化していく。1949年5月、西側ではボンを暫定首都とする「ドイツ連邦共和国」（西ドイツ）が創設され、同10月、東側にはベルリンを首都とする「ドイツ民主共和国」（東ドイツ）が設立された。

参考：ドイツ大使館 HP「壁――ドイツをつらぬく国境」

写真（上下）：Picture Alliace／アフロ

【ベルリンの壁建設と崩壊】

1961年、社会主義圏の東ドイツに飛び地のように存在していた西ベルリンは、一夜にして封鎖された。豊かな資本主義経済を求めて西ベルリンに亡命する東ドイツ人があとをたたなかったからだ。当初、鉄条網だった境界線は、やがて頑丈な「ベルリンの壁」建設へと続いていく。コンクリートによる二重の壁の間には監視塔や警備兵が配置され、西側に亡命しようとする人を処罰した。

だが、28年後の1989年11月9日、「ベルリンの壁」は突如崩壊した。その少し前から、ソ連の指導者になったゴルバチョフが社会主義圏の改革に着手していた。東ドイツ国内でも出国や言論の自由を求めてデモが広がっていたが、壁崩壊は、政府担当者の“失言”がきっかけだった。1990年10月3日、東西ドイツは統一した。分断から40年が経っていた。

ビールとBMWだけがドイツじゃない！

池上　日本とドイツ。昔から似ていると言われてきましたが、実際にはどうなのでしょう。

歴史的には第二次世界大戦で同盟を組み、そろって敗戦。焼け野原からスタートし、その後、経済的に大躍進を遂げました。真面目で几帳面、という性格も似ていると言われます。

しかし最近では働き方やエネルギー政策など、ドイツと日本で異なる面も注目されています。

今回はそんな疑問を徹底解剖すべく、「職業：ドイツ人」を自称するマライ・メントラインさんとお話しします。マライさんは来日して約15年。ジャーナリスト、翻訳家、通訳、コメンテーター、エッセイストと、様々な媒体で、ドイツと日本をつなぐお仕事をされています。

増田　そもそもこの三人、テレビ朝日系の『大下容子ワイド！スクランブル』でご一緒していたんですよね。ただ、生放送の番組は結構忙しく、収録現場では顔を合わせながらも、ゆっくりお話しする機会を持てませんでした。ドイツのこともじっくりお聞きしたかったので、今回は楽しみです。

池上　そもそも、マライさんの「職業：ドイツ人」ってどういうこと？　というところから聞きたいと思っていたんですよ。

マライ　たしかに謎の肩書ですよね……。私の仕事って本当に雑食で、翻訳や通訳もするし、ドイツ公共放送のプロデューサーでもあったりする。日本の自治体のインバウンド推進事業に関わったり、日本のテレビでコメンテーターをしたり、ドイツ語が出てくるアニメの語学監修をしたり、動画編集もする。雑誌やウェブ媒体でエッセイやコラムを書くこともあります。だけど、これらすべてを包括する職業名がない。それでも仕事の際って、必ず職業名を聞かれるじゃないですか。

なので、論理的に厳密に表現すれば「ドイツに関わる業務あれこれ」になるのだけど、肩書が文章になってはいけない。そこでもう「職業：ドイツ人」でいいやってなったんです。

私は日本が大好きで、もう15年ほど日本に住んでいます。メンタルも結構日本人的になってきたと思ってて、ドイツ好きな日本人の友達の方がよほど「ドイツ的」メンタリティを持っていたりします。自称、半分ドイツ人、半分日本人として、日本とドイツの懸け橋になる仕事を心がけています。

ところで日本では「ドイツ=真面目で几帳面」というイメージが強いですけど、そのあたりは「ドイツ人」としてどう感じていますか？

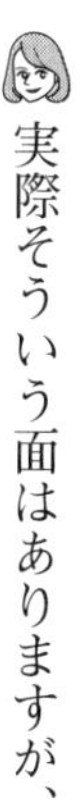

実際そういう面はありますが、逆にいくらでも反論を述べることも可能です。日本でのドイツの

評価って、すごく二極分化されています。つまり「ナチスドイツを生んだ怖い国」というイメージと、「過去の歴史を克服した、EUの優等生」という理想化された評価。どちらも一理あって、片方だけが正解じゃない。ドイツって外からはしっかりしているように見えるけど、中に入って見ると多面的で複雑で、そんな理想国家なんかじゃない。今回はそんなドイツの闇の部分も、存分に語り合っていきたいですね。

逆に、ドイツから見た日本の一般的なイメージはどういうものでしょうか？

世代によって違いがあります。高齢者（特に戦時体験あり）世代では「戦時中の同盟国」、サムライ、フジヤマっぽい類型的イメージが強い。

その下の世代では、ドイツと似た戦後高度経済成長を遂げた国、いい家電をつくる国、というイメージ。ここには「クルマとか、大型の機械ならドイツの方が上」という自負も見え隠れします。

さらにその下の若年世代では、マンガ・ゲーム・アニメを生む「おとぎの国」的なイメージ。ただしドイツではそういったサブカルは「大人までに卒業すべきもの」という社会通念が今も生きているので、このあたりに世代間の葛藤があったりします。例えば、大学でアニメ・サブカルの研究をおおっぴらにやるため、長老的な研究者の引退を待っている若手の学者がいたりとか（笑）。

たしかに一口に「日本人」といっても、世代ではなくて地理的にも東北人と沖縄人では気質も全然違ったりしますし。同じ「ドイツ」でも、ベルリンとミュンヘンではだいぶ人間のタイプが異なりますよね。

全然違います。おっしゃる通り、地域性はすごくあります。

初めてミュンヘンに行ったとき、とてもラテンっぽいなと感じました。BMWみたいなお洒落な自動車も、そうかミュンヘンだからできるんだと実感しました。

ちなみにBMWはBayerische Motoren Werke AGの略。日本語に訳すと「バイエルン自動車工場」。身も蓋もない名前だけど、ベーエムヴェーと読んだ瞬間、すごくオシャレに感じるから不思議ですね（笑）。BMWのシンボルカラー、青と白のチェックは、バイエルン王国の旗にちなんでいます。

一方、北部のハンブルクやベルリンに行くと、街の雰囲気も人々も随分と趣（おもむき）が異なります。再びクルマの話をすると、ドイツ北部のニーダーザクセン州ヴォルフスブルクには、フォルクスワーゲンがあります。Volkswagenを訳すと「国民車」。色気は皆無の名前です。さらに余談になりますが、このフォルクスワーゲン、実はその前身はヒトラーによる国有企業だったんですよね。ドイツの高速道路「アウトバーン（Autobahn）」と共に、「国民車計画」に基づいてつくられた歴史を持っている。デザインを見ると、バイエルンのＢＭＷと比べて、何となく質実剛健的なプロイセン王国も連想してしまいます。自動車一つとっても、その背後に歴史があるのが興味深いところです。

私はドイツ最北部、キールの出身なんですが、この地名を日本で言うと「ああ、海軍基地の！」とすぐ通じるので、来日当時はびっくりしました。

第一次世界大戦の終盤、キール軍港で水兵の反乱が起こり、それがきっかけで終戦につながった、と世界史の授業で習いますし（笑）。

日本人はそんなマニアックなことまで勉強しているんだと驚きました。

そのキールはハンブルクより北、デンマークの少し南の辺りです。人口は少なく、冬は雨も多い。ホワイトクリスマスより雨のクリスマスが多いんですよ。そういった土地では家の中で過ご

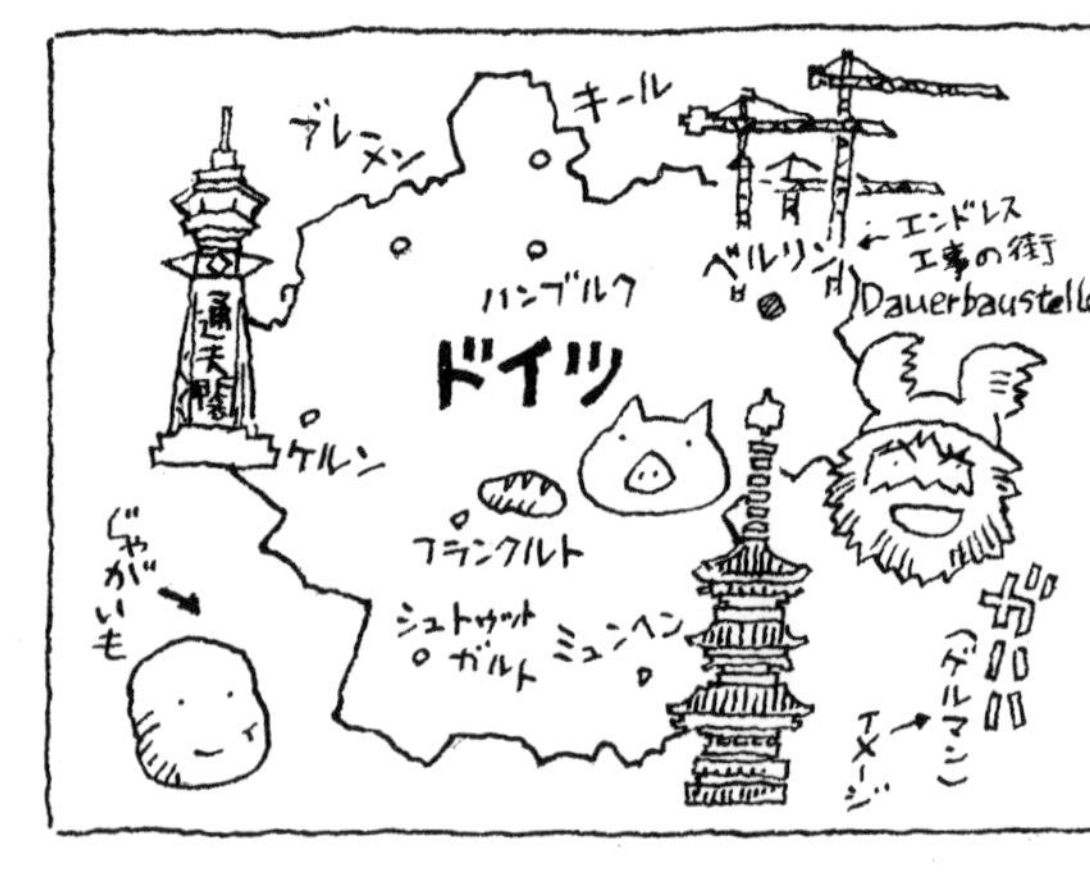

す時間が長くなります。そこでは、非常にシャイで人見知りの強い人間が育ちます。初対面では様子見だけど、仲良くなったら一生ものの友情といったところでしょうか。

日本の東北地方と少し似ているかもしれませんね。初対面だと口数が少ないけれど、親しくなるとグッと距離が縮まることが多い気が……。

ああ、わかります！ 私も東北に取材に行って、現地の方々のメンタリティにすごく親近感を覚えました。で、ドイツに話を戻すと、東に進んでベルリン。ここがまた独特かつ強烈。歴史の荒波に揉まれた実績がそうさせるのか、ジョークがえらくきついんです（笑）。喜怒哀楽もストレートで、初対面でも怒られたりする。だけど怒った後はさっぱりしている。良くも悪くも、人を選ぶ場所かもしれません。

一方西の方、例えばケルンなどはフレンドリーで陽気な人が多いですね。私はボン大学出身ですが、最初はカルチャーショックでした。北ドイツ人として初対面の人とはなかなか打ち解けにくいのに、町のパン屋に入ると、普通にまずお店の人から挨拶代わりのジョークが飛んでくる。ただ、それにそこそこ気の利いた反応をしなくてはいけないというプレッシャーがある。

日本でいうところの大阪のような感じかな。初対面でも距離感があまりなく、ジョークを飛ばして反応を見るところなど、似ている感じがありますが。

そう。当意即妙の反応を試されるエリアです。そして南のミュンヘンに行くと、これまたインパクト大。経済的に豊かで、すごく自信に満ち溢れています。「わしらがドイツを養っとるんじゃ」「なんならいつでも独立できるくらいの財源あるんだぜ」といった、圧みたいなオーラが漂いまくっている（笑）。

そんなドイツのコアを自任するミュンヘン人は、自称「標準語」を喋っていますが、私から言わせると全然違う。ドイツ語の標準語は、ドイツ北部のハノーファー辺りの言葉とされています。バイエルンも都市部を離れると方言がきつくて、同じドイツ人でも即座には理解できないことが多い。でも、バイエルン人はあくまで「標準語」と言い張る。なんという経済力！（笑）。

バイエルンといえば、州議会選挙の取材に行ったとき、ミュンヘンとチェコとの国境辺りを訪れました。オーガニックで牛や豚を育てている牧場や農家も多く、素朴でいい人たちが多かったなという印象です。

国境地域では、2015年にドイツが100万人を超える難民を受け入れて以降、行き先の決まらない難民の人たちが収容所で暮らしています。彼らは、国から支給されている一日1000円ほどの生活資金を手に、直接農家に牛乳などを買いに来るそうです。最初の頃は、難民出ていけ的な反対ムードもあったそうですが、「あの人たちも悪い人たちじゃないんだ。早く何とかなるといいんだけどね」とか、「私も幼い頃、旧東ドイツの時代に家族で西側に亡命したんです。だから、彼らを否定することはできません」という高齢の女性にも出会いました。

それはすごく南ドイツっぽい。荒っぽいけど悪気はない。あと同じドイツ語圏でも、オーストリアまで至るとまた雰囲気が変わるんです。特にウィーンは、さしずめ日本の京都でしょうか。プライドがあり、よそ者に対してなかなかフレンドリーに接してくれません。特に、ドイツ人に対してやたら厳しい気がする……。

オーストリアはドイツに対して、過去にいろいろな恨みもありますからね（笑）。プロイセン王国と戦争もしていますし、ヒトラーに併合もされています。もっとも、そのヒトラー自身、オーストリアの出身なんですけどね。

しかし、京都との類似性は興味深い。本音と建前があり、だけどよそ者にはその違いがなかなかわからないという……ここには「古都」プラスアルファみたいな文化的条件が何かあるのかもしれない、などと考えてしまいますね。

日本とドイツ、それぞれの出会いは？

増田さんは、これまでに世界40カ国くらいに取材旅行に行かれています。ドイツもたくさん取材に行かれていますよね。

ええ、実は初のヨーロッパ取材先はベルリンの学校で、２００４年のことでした。私は高校で社会科講師を務めながら取材活動をしていたので、当時から各国の教育現場を中心に訪れていたんです。

だけど、俄然ドイツに興味を持つようになったのは２０１６年のアメリカ大統領選挙以降ですね。トランプ政権が誕生し、自国ファースト路線を掲げるようになり、さらに世界中で右傾化の流れが生じてきた。そこで、右翼政党の台頭国をターゲットに取材を始めたんです。オランダ、フランス、ポーランド、そしてドイツ……。

特にドイツはＥＵの中心国じゃないですか。ナチスの歴史があるし、東西ドイツ分裂時代もあり、そういった過去を乗り越えて今がある。右傾化の流れについても、それへのカウンター的な市民活動がしっかり存在するのが印象的でした。左右のバランスがとても取れている国だなと。

でも正直、こんなに足繁くドイツに通うことになろうとは思ってもみませんでした（笑）。最初は電車の乗り方すらわかりませんでしたし。もうね、切符の買い方すら謎なの。

わかります。同じドイツ人でも、知らない街だと迷うくらいですから。ぶっちゃけあんまし親切じゃないんですよね、都会ドイツ人は……。

「ホームで買える」「下で買える」とか言われて、従ってみたらことごとくダメ。結局、近くにいた観光客のご夫婦が「ここで買えるよ」と教えてくれて。やっと電車に乗ってアレキサンダープラッツというベルリンの中心部に向かおうとしたら、ドアが閉まるなり車掌が現れて「検札です！」って。

ドイツの鉄道には改札が無い。だから簡単に無賃乗車できるので、たまに抜き打ちで検札が来る。運悪くそこで引っかかるとアウトで、高額の罰金を払わされる。

本当にサービス砂漠で、しかし規則にはうるさいドイツ人。申し訳ない！（笑）。

取材先のベルリンではトルコやイラク出身の二世、三世の子どもたちが多い小学校を訪ねました。家族ぐるみでドイツに来て住んで働いてるけど、親世代はほとんどドイツ語を覚えようとしない。だから、その子どもたちも必然的に学力が劣ってしまうんですよね。それでも子どもさえたくさんいれば、ドイツ政府から手当がもらえたりして、何とか生活できてしまう。

初ドイツで、いきなりコアな体験ですね。

まったくです。そういえばマライさんは、どんなきっかけで日本に興味を持たれたんでしょう。

日本との出会いは5〜6歳の頃、「世界の子どもたちの日常」を描いた絵本をもらったときです。1980年代だから、今よりだいぶ昭和チックな雰囲気の絵で、夜になると畳の上に布団を敷いて、みんなで川の字になって寝ている様子が描かれていました。

その「FUTON」なるマットレスは、朝になると畳んで専用の大きなスペースに収納するのだ。そうすると今まで寝室だった空間が、今度は居間や食堂にトランスフォームする。すごく機能的！　とドイツ的に感銘を受けました（笑）。

ヨーロッパってベッド文化じゃないですか。でも友達が泊まりに来たときだけは特別に床にマットを敷いて寝るんです。だからすごいスペシャル感。日本の子どもたちは毎日がお泊まり会みたいでいいな〜と憧れたんですよ。

もう一つ印象深かった絵は銭湯でした。みんなで体を洗って泡だらけになり、奥の方には頭にタオルをのっけて「はぁ〜」とリラックスしている人たちがいる。その頭上には富士山の絵。楽しそうだな、みんな一緒に生活しているんだなと、とても印象に残りました。その絵本はもうどこかに行っちゃいましたけど、今でもその描写が目に浮かびます。

あと、博物館で「漢字の成り立ち」を見て萌えて、「羊」という漢字とドイツ語の「Schaf（羊）」、一体どちらが早く効率的に書けるのか、ストップウオッチ持って比較検証し始めちゃうとか……いかにもドイツ的な話ですけど、私はドイツ人の中でもだいぶ変な子と見られていたっぽい（笑）。

結局日本を中心としたアジアの文化性すべてが気になって、14歳の頃から、40～60代の大人たちに混じって地域の市民講座でまず日本語を学びはじめました。いわゆる日本ブームの少し前でしょうか。

90年代後半、まだ日本カルチャーは市井（しせい）には上陸してませんでしたか。

ええ、ゲームや携帯オーディオやアニメがヨーロッパの社会を席巻する少し前ですね。当時はまだ柔道や空手とか、そういう「求道系」の人たちが日本趣味業界のメインだったから、ちょっとした息苦しさがありました。

「技術立国日本」の名が世界に轟（とどろ）いた、輝かしい時代ですね。戦後の日本はそれこそ高度経済成長期から様々な製品を開発してきました。新幹線はもちろんのこと、テレビや自動車など、最先端をいってましたよね。テレビで普及したアニメが、コミックや映画などで幅広く展開し、MANGAやANIMEが国際語になっていくという……。アニメやマンガは海外で日本語を学びたいという人のきっかけにもなっています。

増田さんがおっしゃるところの、マンガやアニメが「学問の動機になる」のは私の後輩の世代、つまり1980年代後半生まれからという印象があります。学校のイベントでコスプレをやりたがるとか、要するにコミケ系のノリが増えてきた（笑）。

とはいえ私もマンガやアニメは極めて好きで、だから大きな世代の狭間というか、双方が抱えている世界観のギャップなんかも見えてしまう。求道系の旧世代の趣味人は、（彼らから見て）哲学的な深みが足りないまま「妙に発音だけ上達する」アニメ系趣味人を見て「片腹痛し！」と思ってたり（笑）。

ちなみにそういう意味でも、エヴァンゲリオンというのは「深み」と「サブカル性」を両立させる画期的なコンテンツでしたね。

ときに、池上さんとドイツの出会いはどうでしたか？

私の場合、ドイツとの出会いは語学でした。大学では経済学部にいて、第二外国語の選択の際、当時はマルクス経済学が主流ですから、経済やるなら当然ドイツ語ね、という感覚でした。だけどその授業、朝イチなんですよ。だから行くだけで大変。しかもder die dasって、冠詞が三種類もあるではないですか。英語ならtheの一つで済むのに、ドイツ語だとあらゆる名詞が女性・

男性・中性の三分割。さらにその冠詞がder des dem denって変化していくでしょう。もう何が何だかわからなくて、本当に苦労しました。

本当に、やる気なくす言語ですよね……。

結果、英語って、学ぶのにやさしい言語だなと発見しましたね（笑）。

ドイツ語の試験のとき、先生から「テキストの中のどこかの段落を出して、その日本語訳を書け」という問題を出すからと予告されました。そこで私が何をやったか。日本語訳を全部暗記したんです。文章の出だしのドイツ語だけ覚えておいて、その単語が出たらこの日本語訳を書けばいい、とインデックス的に記憶しておいた。で、実際にそれが試験で出たから、「よし！」と嬉しくなってワーッと暗記した文章を書き写したんですよ。ところが、後で気づいたら、出題されている箇所以外のところまで、全部日本語訳を書いてしまっていた……（笑）。

超バレバレじゃないですか！　採点結果はどうなったんですか。

先生の恩情で、ギリギリ合格でした。結局私がドイツ語でマスターしたのは、Ich kann nicht Deutsch sprechen.（私はドイツ語を話せません）だけです。あとは、Ich liebe dich.（愛しています）

ぐらい。

ネタ的には満点です（笑）。

まさか生きている間に「ベルリンの壁」が崩壊するなんて！

だけどやはり実感を伴ったドイツとの出会いと言えば、「ベルリンの壁」崩壊（P13上）のニュースでしたね。あれはものすごく衝撃的でした。ちょうどNHKの首都圏のニュースキャスターをしていた時代です。

日本時間の深夜ですよね。ベルリンの壁に大勢の人がよじ登って大騒ぎをしている映像を眺めているうちに、涙が出てきました。自分が生きている間に、まさかベルリンの壁が崩壊するなんて思ってもいませんでしたから。これから本当にいい時代が来ると感動したものです。実際には、それほどいい時代が到来したわけではありませんけれど。

でもそれくらい、ベルリンの壁崩壊と、ソ連崩壊は、当時の人々にとっては衝撃的な出来事だったんです。後日、テレビの取材で初めてベルリンに行ったときには、「ベルリンの壁」のかけらを買ってきて自慢したものですよ。

そうしたら「今、ベルリンの壁の偽物はいくらでも出回っているんだよね」と言われましたけど……。

私も買いましたよ。ベルリンの壁博物館で。確かに、コンクリートに色を塗って割れば、「ベルリンの壁」っぽくなりますすけど（笑）。

皆さん、ベルリンの壁崩壊時の記憶が鮮明ですね。当時私は6歳だったので、そこまでリアルには覚えていないんです。一応漠然とした記憶はあるんですが、なにせ6歳ですから。でも、何かすごいことが起きているんだと周囲の反応から感じていました。

その少し前、両親が見ていたニュース番組で、悲しそうな顔をした人々が柵の向こうから訴えかけている映像が流れていた記憶がある。どうも彼らはこちら側に来たいんだけど、なぜだか来られないらしい。

後で調べたところ、彼らは当時プラハの西ドイツ大使館に逃げ込んだ東ドイツの人々だったらしい。西ドイツに列車で行けるか行けないかの交渉をしつつ、大使館の庭で待機していたところで……。

それは「ヨーロッパ・ピクニック計画」（P9）だ！　東ドイツからハンガリーやチェコに逃げ込み、そこから列車やオーストリア経由で西ドイツに行こうとしていた人々の映像ですね。

当時、東ドイツから西ドイツに直接亡命するのは難しくても、同じ社会主義国のハンガリーやチェコには、わりと容易に旅行できました。当時、ハンガリーはすでに東ドイツより一足先に民主化へ動き出していた。資本主義国オーストリアとの国境も開放し始めており、東ドイツの人々はそれを活用したんです。

ハンガリーは、自国に流れ込んでくる東ドイツの人々を西側に行かせようと、ひそかにオーストリアや西ドイツと話し合った。その一環で採られたのが「ヨーロッパ・ピクニック計画」でした。その名の通り、単なるピクニックを装って、ハンガリー国境沿いのオーストリアでガーデンパーティを開き、そのどさくさに紛れて東ドイツ人をオーストリア側に逃げ出させてしまおうというもの。そういった一連の歴史的事件を、マライさんは当時リアルタイムで視聴していたということですね。

そうなんです。だからあの悲しそうな顔をした人たちが、無事に「こちら側」に来られるようになって、本当に良かったなというのが当時の感慨です。

あと、郵便番号が急に変わったことが子ども心に印象的でしたね。せっかく自分の住所を覚えた小学校低学年としては、東西ドイツ統一でまた新しい郵便番号を覚えなくてはならないのかと。

学校の修学旅行でベルリンに行ったとき、雰囲気が一種異様で、「暗い……」と感じたことも覚えています。そして行くたびに街の印象がどんどん変わっていって、工事現場も増えていきました。その意味では、私と一緒に成長していった街という感覚を持っています。

考えてみると、私の世代がギリギリ冷戦を覚えている世代ですよね。その下のミレニアル世代になると、また東西ドイツ分裂と統一に対して違った印象を持っていると思います。


私自身、高校で歴史を教えていたにもかかわらず、言葉としてしか東西冷戦を理解できていなかったんですよね。ベルリンの壁崩壊のときも、まだ教壇に立って三年目だったので、ニュースとして生徒たちに説明はできたかもしれませんが、真の意味で理解はできていなかった。その後、バルト三国の独立、ソ連の崩壊、という流れになり、全体像をとらえられるようになったのは、やはりドイツで取材を始めてからだという気がします。実際にナチスの時代を生きた方や、その子、孫の世代の方たちへのインタビューを通して。


私の周辺が東西ドイツ分裂時代とその後の統一を覚えている世代ならば、私の両親は戦後世代、そして祖父母はナチス時代を生きています。

私の母方の祖父母宅に行くと、なかなかシュールな光景がありました。普通に祖父、祖母の結婚式の写真が飾ってあるのですが、よく見るとおじいちゃんがSS（ナチス親衛隊）の制服を着て決めポージングをしている。おいおいそんなもの飾ってていいのか（笑）。

彼はもともと音楽家だったのですが、ナチス政権下での生活の話は、やはりあまり語りたがらなかったですね。大戦末期、武装親衛隊の対空砲部隊に所属して捕虜になったとか、いろいろあったようですけど。

それでいて父方の祖父母宅に行くと、今度はクリスマスツリーのてっぺんに「赤い星」が輝いていたりするんです。父方の祖先はドイツ共産党員で、ナチ政権下で投獄されていたという……。

共産党の赤い星ですか！（笑）。

そう、まさに労働の赤い星、です。つまり「ナチス親衛隊」と「共産党員」という、第三帝国時代に不倶戴天（ふぐたいてん）の敵同士だった家族が、次の世代では一つのファミリーを築き上げている。

私の両親世代は、ナチス時代の価値観を徹底的に否定しながら青春時代を生きています。言い換えれば、とりあえず自分たちの両親と真逆な価値観で生きればちょうどいいと思っている節がある。そういう心理的なアレコレの作用もあり、こういった極端に見える結婚も「アリ」だったんでしょうね。

うっかり失言で「ベルリンの壁」は崩れた

ちなみに東西ドイツ統一のときには、ご両親を始め、周囲の大人たちはどういう反応をされていましたか。

池上さん、増田さん同様「まさかこんなことが起こるなんて……」という反応が真っ先に来ていましたね。旧東ドイツも、もう少し自由化されて、旅行もできるようになるかもしれない……くらいの期待はあったと思うんですけど、まさかこんな急展開で壁が崩壊するとは……と。

当時、誰か、ベルリンの壁崩壊と、東西ドイツ統一を予言していた人っているんですかね。

いや、当時は誰もいなかったと思いますよ。

ちなみに日本の若い読者の方のために解説しますと、当時、ソ連でゴルバチョフ書記長が「東ヨーロッパは独自に進路を決めて構わない」と言い出していたんです。ブレジネフ時代にはチェコの「プラハの春」民主化運動を戦車で潰していますから、これは大きな変化です。自国でもペレストロイカ（再構築）やグラスノスチ（情報公開）路線を打ち出し、それに勇気づけられたハンガリーがまず民主化しました。民主的な選挙で選ばれたハンガリーの新首相が、オーストリアとの国境にあった鉄条網を取り外したんです。そこに、東ドイツからチェコを通ってハンガリー経由で西ドイツに行こうとした人々が殺到した。

これを見て焦った東ドイツ政府が、チェコとの国境を封じてしまったんですね。それで逃げられなくなった東ドイツの人々が、抗議のデモを始めたんです。たしか、ライプツィヒが最初でしたよね。

そうです。

その抗議デモがどんどん他の地域にも広がっていき、東ドイツ政府が譲歩する形で、「出国ビザを申請すれば、他国への旅行を認める」ことを決めたんです。

ところがこれを発表する記者会見で、広報担当者が失言するんですね。「いつからですか?」という記者からの質問に対して、「今です」と答えてしまった。

ところが、全然「今から」じゃなかった(笑)。

完全な言い間違い、失言でした。なのにその報道を聞いた人々がワーッとベルリンの壁に殺到した。そこにいた警備兵たちは、市民を国境越えさせていいなんて知らせを上層部から受けていない。かといって、これだけ大勢の一般市民に向けて発砲するわけにもいかない。それで勢いに呑まれて、ゲートを開けてしまったんです。とんだハプニングでした。

私が今でも覚えているのは、東ドイツの大衆車「トラバント」、愛称トラビに乗った東ドイツの人々が列をなして西ドイツに流れ込んでいる映像です(P13下)。後日、日本のテレビ局がトラバントを日本に持ってきて紹介しようとして、いざ公道を走らせようとしたら、日本の排ガス規制に適合しなくて走行禁止だった……。仕方なく、スタジオにおいて展示しただけというエピソードがあります。

トラバントはドイツでも意外に人気で、観光都市ではトラバントツアーなんかもやっているはずです。もちろん、エンジンは改造して。

そうですよね。後日、テレビ収録でドレスデンに行った際、トラバント愛好家に乗せてもらったんです。噂には聞いていたけれど、実際乗るとすごかったです。シートベルトはないし、走り出すとベコベコのガタガタで、途中で分解するんじゃないかとヒヤヒヤのスリルを味わいましたよ。

……と、そんなこんな、それぞれの日独との出会いでした。ということでこれからじっくり、お互いが見てきた両国の違いや共通点を探っていきたいと思います。

第2章

ドイツではマイスター制度で、多くの職人が働いている。自動車組立工などは、職業訓練校を卒業して、現場で経験を積み、マイスター試験を受ける。

写真：アフロ

日独の働き方を考える
――ドイツ人ノー残業伝説は事実なのか？

2-1 日本とドイツの働き方を比べてみよう

●「働き方改革関連法」により
時間外労働の上限規制が、
原則として月45時間、
年360時間と定められた。
しかし、残業代が出ない
名ばかり管理職、など
現場との乖離も大きい

●有休を年間5日以上
取得させないと
企業側に罰金。
それでも有休消化は進まず

●いまだ長時間労働
礼賛の空気

●個別産業では、機械、
電機などの労働生産性は
ドイツより高い。
卸売、小売など他の産業で
労働生産性が低い

Japan

全国的には、テレワーク導入率は低いが、
東京都のテレワーク導入率は 2021年1月以降、
6割前後で推移

■合理主義、効率主義
短時間で成果を出す人を評価
10時間以上働くことは禁止

■30日間の有給休暇
100%消化

■国民1人当たりの労働生産性は
ドイツの方が日本より高い

■仕事とプライベートの
メリハリが大事

Deutschland

コロナ禍以降、テレワークが全体の7割と浸透
製造業にもデジタル化の流れ
テレワーク法制化の動きが活発化

2-2 日本とドイツ働き方をデータで見る

日本とドイツのGDP、国民1人当たりGDPと労働生産性

▶日本　GDP3位
- ●国民1人当たり　GDP21位
- ●1人当たり労働生産性　26位

▶ドイツ GDP4位
- ●国民1人当たり　GDP10位
- ●1人当たり労働生産性　13位

日本とドイツの有休消化率

エクスペディア世界各国の有給休暇取得状況より引用

日本とドイツの総労働時間

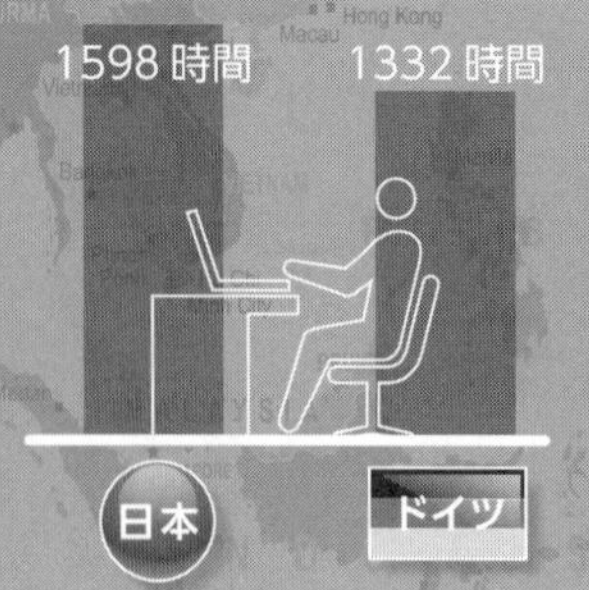

世界の労働時間 OECD2020より引用

OECD加盟諸国の1人当たりGDP

(2019年/37カ国比較)

日本生産性本部 労働生産性の国際比較2020より引用

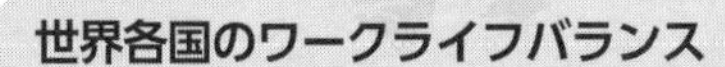

フルタイムで働く人の労働以外の時間
(睡眠やレジャーなどを含む)

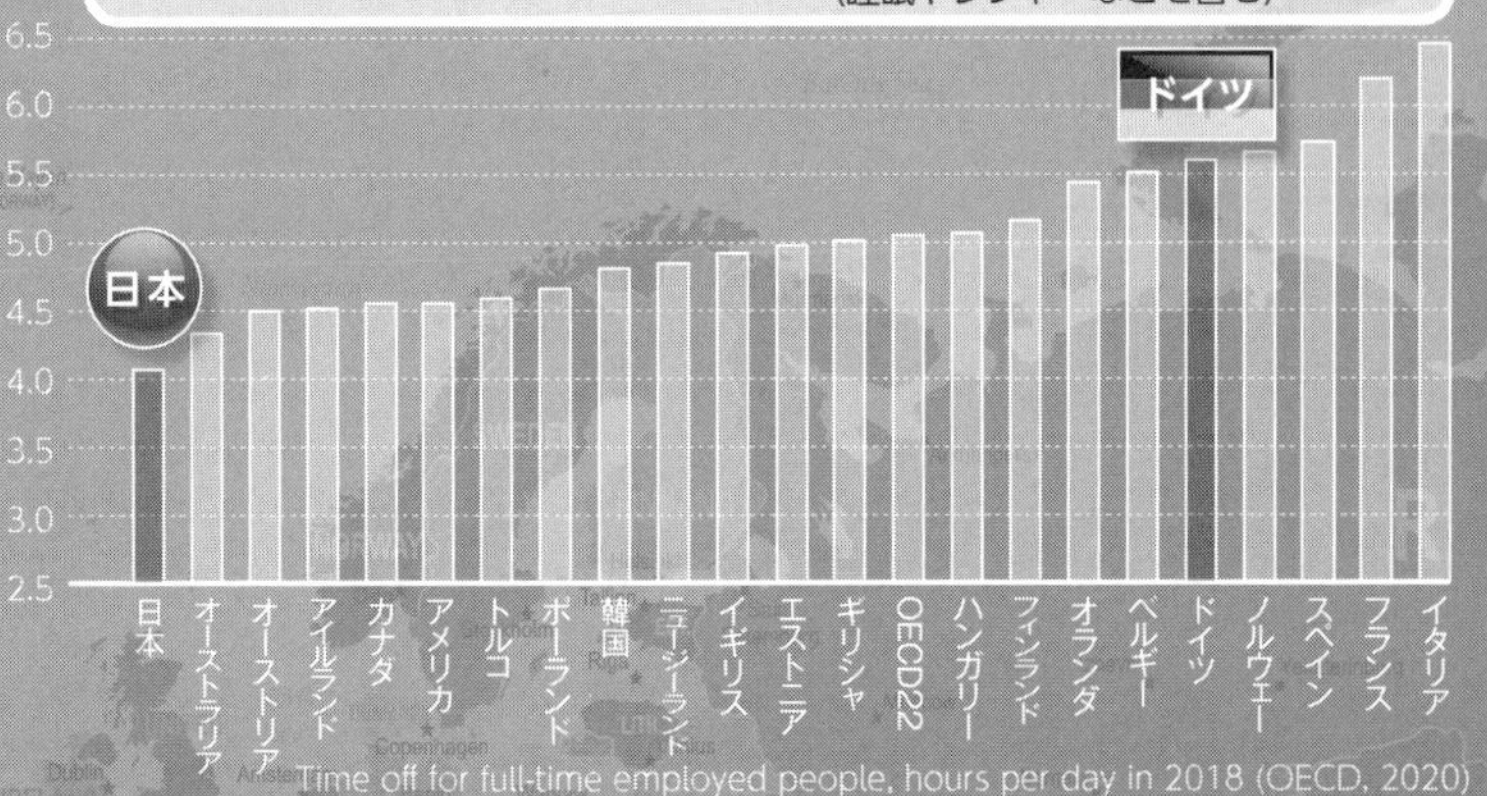

日本とドイツの働き方の違い

日本	ドイツ
●有給休暇の取得率が比較的低い。 参考 ・労働基準法で勤続年数に応じて付与(最低6カ月勤務で年10日、最高6年6カ月で年20日) ・平均付与日数:18.2日、取得日数:9.0日(2016) ・法定祝日数:16日(2018)	●基本的に有給休暇を消化する傾向。期間も例えば2週間など比較的長い。 参考 ・連邦休暇法(Bundesurlaubsgesetz)で6カ月勤務で年24回以上。連続取得、使い切りの原則あり。 ・平均付与日数:30日(2016) ・法定祝日数:9日(ベルリン州)(2018)
●病気等による休業に対しては、使用者に賃金支払い義務はない。 参考 ・健康保険で、労働者には、私傷病による休業に対する最長1年6カ月の傷病手当金(報酬の3分の2)が支給。	●有給休暇とは別に、使用者は有給病気休暇にも対応する必要あり。 参考 ・賃金継続支払い法(Entgeltfortzahlungsgesetz)で、労働者には、4週間の勤務後、6週間まで私傷病による休暇時の賃金継続支払い請求権が発生。また最初の労働不能から12カ月経過後に新たな請求権が発生。
●特に総合職の場合、必要に応じて社内での研修、OJTが中心。	●既に持っている専門資格、経験を活用。
●特に総合職の場合、労働者の業務内容は、比較的明確ではない(必要に応じて様々な仕事を担当する傾向)。	●労働者の業務内容が比較的明確(job descriptionに記載がなければ「それは自分の仕事ではない」)。
●同一業界内の転職は、比較的まだ一般的ではない。	●会社への執着はあまりなく、キャリアアップのために同一業界内での転職もよく見られる。

在ドイツ日本国大使館HP(平成30年5月)より引用

世代間で「働き方」の価値観は変化する

増田さん、そもそも「働き方」で何かイメージされるものはありますか。

実は私は日本の「男女雇用機会均等法」の1年生でもあるんです。正式名称は「雇用の分野における男女の均等な機会及び待遇の確保等に関する法律」で、１９８５年に制定され、翌86年に施行されました。働く上で、男女の性差を理由に待遇に差をつけてはいけないというもので、この年から会社の求人欄から「男性○名」「女性○名」という性別ごとの記載は消えて、女性の総合職もスタート。

表面的には進歩した時代のようにも見えます。しかし、建前と現実はかなり乖離しており、実際にはパワハラ、セクハラのオンパレードでしたよ。

「パワーハラスメント」「セクシャルハラスメント」という言葉自体、当時はありませんでしたよね。不思議なもので、言葉ができて初めて世の中に認識されるものも多くあります。「働き方」に関しても同じで、だからみんな「理不尽だなぁ」と心の中で感じながらも、「世間とはこういうものだ」と自分に言い聞かせて働いていた気がします。

特に女性はロールモデルもいないし、具体的なキャリアプランも全然描けない。良い短大に行って、25歳までに商社マンと結婚して、海外赴任についていく専業主婦になる……というのが、若い女性にとっての一番のサクセスストーリー。男性の高学歴・高収入・高身長、いわゆる「三高」がもてはやされた時代です。

その一方、「自立した人生を歩みたい」と、バリバリ働く女性も出てきて、「結婚しない女性」の走りとなりました。だからよく言われたものでしたよ、「君たちは、日本の少子化の諸悪の根源」みたいなことや「もう30代なのに、子どもも産まないでこんな仕事ばかりして」というようなことを、平然と面と向かって言う男性上司や同僚たちは普通にいましたね。

男社会に「適応」した女性の是非を問う議論もくすぶっていますね。「飲み会を断らない女」という面をアピールポイントにして昇進をはかるとか。無理やり連れていかれる「飲み会」を断らず、男性たちの相手をして、それに耐え続ければ「勝ち組」になってしまうという……。

それ、すごくわかります。私はお酒がまったく飲めない人間なので、極力「飲み会」なるものには行かないようにしてきました。行った方が自分にとって得になるというのはわかっているんです。だから多少のことは我慢して、飲み会の席に行って可愛がられる方が、日常の仕事もやりやすかったんでしょうけれど。

なんか、男女ともにものすごく、つらい思いをしていませんか……？

そうかもしれません（笑）。我々の世代は、就職して真っ先に酒の席で洗礼を受けるわけです。今から見れば「いじめ」と言ってもいいと思いますけど、無理難題を吹っ掛けられて、そこでグッと耐えると「おお、こいつは合格だ」と認められる。そこからようやく一人前の人間として扱ってくれるようになる。それでも職場での「お前は馬鹿か」「低能！」といった言動は日常茶飯事でしたが。

それが女性の場合は、飲み会の席で何となく肩に手を回されたりするのを、さりげなくすっとよけたりして、うまくやっていく術（すべ）を身につけなくちゃいけない。そこで怒ってはダメで、誰も傷つけないように上手くかわせなくてはいけないみたいな。

当時はそういうことに対する罰則も存在しなかったわけですよね。例えば性犯罪の問題も、今でこそ公然と語れるようになってきたけれど、一昔前まで口にするのもタブーという時代がありました。でも、それは日本だけが異様なのではなくて、ドイツや他の国も同じだと思います。

問題は、時代が変わってきている中で、旧世代の人たちの「開き直り」が目立つのでは……という点です。苦労の蓄積の末、ようやく社会的にトップのポジションに立つことができた！というのは良いとして、数十年前の価値観を振りかざしてそれを既成事実化しようとする。若い頃は自分も理不尽に耐えたのだから、お前らも同じように耐える義務があるはずだ！　的な執着。そこで自動的にパワハラ・セクハラ的要素がセット販売されている感じです。

ちょっと体育会系の部活動と似ていますよね。自分が入部したときに先輩にしごかれたから、今度は自分が先輩になったときに後輩を理不尽にしごく、という負の連鎖です。

でも少子高齢化で労働人口が減少している中、そういう状況を無視しながらの「理不尽の押し付け」には、実務的にみて露骨な無理と限界がありますね。

「親睦会」はドイツ語に訳せない……

「居場所」が会社だけで、他のコミュニティや家庭にはない、という話もよく聞きます。日本のサラリーマン文化は、圧倒的に仕事以外でも会社の人たちとの関係性に大きく依存しているのでは？　取引先の接待や、上司・同僚との飲み会、あとは会社の慰安旅行ですか。そういうのはなかなかドイツでは理解されない文化ですね。

ありましたね～、慰安旅行。最近の若い人にとっては、「なんで、会社の人間と一緒に旅行まで行かなきゃいけないの？」という話でしょうけど。

それって、休暇を上司・同僚と一緒に過ごせば、結果的に仕事でもプラスの効果が見込めるから、会社から補助も出るという仕組みなんですか?

プラスの効果……どうでしょう。会社の仲間との親密さが増す?

そういう発想ですよね。だから「親睦会」という言葉もあったじゃないですか。日本語には、「親睦を深める」という言葉があるんですよ。

なるほど、聞いたことがあります。本当に、言葉を知らないと、存在しない世界ってありますよね。実はドイツ語には「親睦」に当たる単語がないし、そういう発想もない。もともと仲の良い友達と一緒に旅行やパーティには行くけど、会社の同僚や上司と、仲良くなる「ため」に一緒の時間を過ごすべし、的な仕組みはありません。

もちろん無理やりドイツ語に訳そうとすれば、訳せないことはないんです。実際に辞書で「親睦会」を引いてみても、「Gemütliches Beisammensein」と出てくる。う〜ん、直訳すると、「心地よい場所で一緒に過ごす」……。でも、この単語だけを言っても、ドイツ人に正確なニュアンスは伝わらないと思います。えーと、「実はあまり楽しくないのに仕事の一環として付き合わなくてはならない。しかし昇進には有利だ」という表現にすれば……ああ、それだと多分「ローマ皇帝ネロのリサイタルに付き合わされる将軍たち」みたいなのを連想するから、やっぱりズレてしまう（笑）。

だから私みたいな人間はつらかったですよ。子ども時代から、周囲と同じものを持って、同じ振る舞いをして、という周囲の期待を理不尽に感じてきたような人間は、つらかったです。いつも「おかしい」と感じていたから、フリーランスでしか仕事をしてこられなかったんでしょうけれど（苦笑）。でもさすがに、日本のそういった風習も、随分と変わってきたと思いますよ。

ドイツのワーキングスタイルもいろいろ変化してきていますが、ドイツの場合はスタイルを「守る」「押し付けられる」というよりは「俺ルールを合法的に周囲に押し付ける」ことで仕事が回る、という文化がもともとあります。そんなわけで、男女同権的なルール進展に絡む意識変革というのはあるけれど、例えば「上司がいる間は帰れない」的なメンタリティをどうするか的な問題は、もともと日本に比べて希薄だったと言える気がします。

「有休消化率100％」のリアル

日本だと「定年後が怖い」という話も聞きますね。私はフリーランスなので基本的に定年がないんですが、50代も半ばになると、周囲からは「仕事、いつ辞めるの？」と聞かれることが増えてきました。考えたことがないので一瞬びっくりしてしまいますが、定年がある職場で働いている人にとって、「定年後に、どう生きていくか」というのは大きな課題かもしれませんよね。仕事一辺倒だった人が、定年退職後何をしたらいいのかわからないというのも当然かもしれません。人生100年とまで言われる時代ですから。

定年退職って、不思議ですよね。人生100年時代で、もしかしたら一番旬な時期かもしれない年齢に、社会や会社から年齢を指定されて、「あなたはもう老人です。そろそろ退職して、年金も考えてね」と言われる。

年金支給年齢をいつにするかという問題は、少子高齢化が進む各国で問題になっています。フランスなどでは、年金受給開始年齢が1〜2歳上がっただけで高校生までもが反対デモに繰り出すくらいの関心事です。

彼らの反対の理由の一つは、「自分たちの権利を勝手に変えるな」ということですが、それと並行して「できるだけ働く期間を短くしたい」という願望も窺えます。ということで、フランス人はそんなに働くのが嫌なのか、と感じなくもない（笑）。

「定年後の過ごし方」って、現役時代の「余暇の過ごし方」と似ていると思うんです。これまでの人生でちゃんと「バカンス」を過ごしてきた人たちは、「定年後の過ごし方」にもある程度イメージがある。「定年退職したら、ここに旅に行こう」とか、「こういう趣味に没頭しよう」とか。

でも、現役時代にずっと働きっぱなしだった人が、60歳過ぎていきなり「これからの余生ずっとバカンスですよ」と言われても、予備知識も実体験も欠けているから、どうやって毎日過ごしていいのかわからないでしょう。「働いているときの自分」は想像できても、「働いていない自分」をイメージできない。会社から、「もう要りませんよ」と言われることが、イコール「社会から要らないと言われている」ように感じてしまい、不安になってしまうのではないかと……。

日本人はドイツ人を自分たちと同じくとても真面目な人たちだと思っていますけど、実はドイツ人ってすごく「バカンス」を重視するんですよね。

以前メルケルさんが、「ギリシャ人は休んでばかりいないで、もっと働け」みたいなことを言いました。2009年の「ギリシャ危機」で、ギリシャ国債の格付けが一気に下がったときの話です。ドイツを始めヨーロッパ諸国の金融機関は巨額のギリシャ国債を購入していましたから、もしギリシャが債務不履行(デフォルト)にでもなれば一大事です。そうなる前に、ユーロ圏全体でギリシャへの財政支援を決めたわけですが、これはそのときの発言です。

それまでのギリシャでは信じられないほど社会保障が充実していました。大量の公務員が存在し、その給料や退職後の年金も非常に高かった。そのわりには国民が税金をなかなか納めなかったりしたもんですから、まずはそこを国内でしっかりフォローするのが先決だ、というのがメルケル発言の真意なのですが、実はなんと、「ギリシャ人、もっと働け」と言った側のドイツ人が、総労働時間ではギリシャよりはるかに少なかったというオチがあるんですね。

イメージと実態の乖離、実に興味深いところです。

確かに「バカンス」といえば、フランスやスペイン、イタリアなどラテン系の国民をイメージしがちですけど、ドイツ人もそれに負けず劣らず休んでいると。いわゆる「ワークライフバランス」が進んでいる国なんですね。フランスには「バカンス手当」が存在するようですけど、ドイツではいかがですか?

「バカンス手当」……まではないですね(笑)。でも、ドイツ人が「バカンス」大好きなのは確かです。実際、ドイツの一般的な正社員は平均して年4週間、有給休暇を取得しているようです。だいたい年平均27日間。それに日曜も合わせれば軽く1カ月間は休めます。しかも連続して休むことも社会通念的にOK。「1カ月間、家族でアメリカ旅行に行ってきます」とか、「夏に2週間、冬に2週間バカンスに行きます」など普通にできてしまう。会社でも、バカンス中のメンバーの作業は残っている者がしっかり対応できるよう、申し送りや書類の整理は完璧にしておくのが常識です。休むことに関して負い目を感じないのは、皆がしっかり有休をとっているから。みんなお互いさまで、仕事に支障が出ないように工夫しているんです。

ドイツ人って実は旅が大好き。旅行先で巨大なバックパックを背負っているガタイのいい欧米人がいたら、それは大抵ドイツ人（笑）。旅に出るために仕事をしていると言っても過言ではない。

逆に言うと、日本では自分が病気になったときにも有休を使うと聞きましたが、本当ですか？

使いますねぇ。ちょっと体調悪いから病院に行ってくるというときも、有休を使いがちです。

その話をドイツ人にしたら、「え、有休ってバカンスをとるためのものでしょ？」と驚いていました。「有休＝リフレッシュのための休暇」という常識的定義なので、怪我とか病気で弱っていたら、リフレッシュ以前の問題じゃないですか。だからそこはちゃんと傷病休暇を取得して、健康になったのちに改めて「有休」をとるのがドイツ人の感覚です。

確かに合理的ではありますね。日本では、学校という現場が、しばしば働き方改革の優先目標に挙げられます。私も学校という職場に27年間いましたし、現場の取材もしてきましたが、なかなか改善されません。義務教育でいえば、担任だったり、部活だったり、その他の雑用だったりに時間をとられて、一番時間を割かなければならない授業の準備の時間さえ思うようにとれない。

何か一つしようとしても、いちいち細かい書類を作成しなければならず、それも教員の仕事。
さらには、いわゆるモンスターペアレンツへの対応など、気の休まるヒマさえない場面が増えています。もちろん、夏休みや冬休みなど、長期休暇もありますが、その間も出校しなければなりません。それでも自治体によっては、部活の指導者や子どものカウンセリングなどを外部や地域の人材を活用してうまく対応し、教員の負担を減らそうとしているところもあります。ただ、やれ英語教育だの、プログラミングだの、と新しい教育内容も押し寄せてくるので、全体的に見ると、理想の働き方を実現するにはほど遠い状況ですよね。

ドイツ人の「生産性」は、日本人よりはるかに高い？

最近、ドイツと日本の比較でよく語られるのが「働き方」の違いです。日本では長時間労働や、過労死などが実際に起こっているのに対し、ドイツ人の働き方は短時間で効率が良いというものです。これは本当なのか、検証してみましょう。

まず過労死について。ドイツでも日本の過労死問題は「ＫＡＲＯＵＳＨＩ」として話題になっています。先進国でありながら死ぬほど働かされるとは、一体どういうことなのか。勤勉ではあるけれど、「会社のため」という滅私奉公的な精神を持たないドイツ人には、にわかには信じられない現象です。

ドイツと日本、それぞれのＧＤＰを見てみると、1位アメリカ、2位中国に続く3位は日本、そして4位がドイツです。

でも、ドイツと日本では人口差がありますよね。日本の人口が約1億2600万人に対して、ドイツは約8300万人。この人口差を加味すると「国民一人当たりのＧＤＰ」が出てきます。それを見ると、ドイツは10位、日本は21位となって、だいぶ日本の順位が下がります（Ｐ40）。

そして、そこからさらに「国民一人当たり労働生産性」を見てみましょう。「国民一人当たり労働生産性」は、ＧＤＰを労働時間と労働者数で割って算出されます。それを見ると、ドイツ人の「国民一人当たり労働生産性」は13位に対して、日本は26位という結果になります。

つまり、ドイツ人の労働時間は、日本人に比べると約17％も少ないにもかかわらず、国民一人当たり労働生産性は約36％も高いということになります。

そうですね。少なくとも、長時間労働＝「仕事ができる人」というイメージは無い。「ちゃんと時間内に終える計画を立てられなかった」となるかもしれません。多分ここが重要でしょう。

そう、その感覚が逆なんですよね。先ほど言った教員の仕事ですが、日本人の場合、業務に「張り付き続ける」ことが「義務を果たしている」証明みたいな感じになっている部分が確かにあります。もちろん、教員の場合もそうですが、仕事の内容が影響している部分も否めません。採点や授業の準備などを自宅にまで持ち帰ることが日常です。結局、エンドレスですよね。

日本人の長時間労働は、事実ですからね。一昔前までは、人事評価で「長時間働いている人＝頑張って働いている」というのが一般的でした。夜10時くらいにオフィスに残って働いていると、上司がポンと肩をたたいて、「君、夜遅くまで頑張っているな」と励ましてくれる。土日出勤なんかすれば、それも高評価につながったりした感じで。

でも長時間労働はドイツだと反対の評価になりますよね。「え？　土日も出てこなくちゃ仕事が終わらないほど、君、生産性低いの？」と。

そう。しかし興味深いことに、この前ドイツの若者と話していたら、「最近は、残業増えていますよ」とかこぼすんですよ。「3時間も残業している」と。

でも、よくよく聞いてみると、「週3時間も残業している」でした……（笑）。

日本なら一日当たり3時間が「常識」ですよね。

そう、単位が違う。しかも、コロナ禍でテレワークになったことでさらに残業が増えたという話。つまり、週に3時間だったのが5~6時間くらいになったと。これは日本とは逆のベクトルのように感じられて、とても興味深い。

日本の会社って、「上司の目があると、なかなか帰れない」と言うじゃないですか。だけどそれがリモートになると、上司の目がない分、仕事が終わればサクッと終業できるようになったと聞きます。

一方ドイツでは、上司の目が光っている方が「残業ナシ」で頑張れるんですね。とにかく時間内に仕事を終えなくては……というタイムプレッシャーがすごいから。オフィス外だとそういうチェックの目がない分、ユルんでしまうらしい。

真逆の現象というのは興味深いですね。同じく「人の目」を気にしているけれど、その気にするポイントがまったく違う。

そもそもドイツでは法律が厳しくて、「なんとなく残業」ができないようになっているんです。1994年に施行されたドイツの「労働時間法（ArbZG）」では、「一日当たりの労働時間が、8時間を超えてはならない」ことが明記されています。特別な事情がある場合だけ、労働時間を10時間まで延長できるけど、その場合でも6カ月間の一日の平均労働時間は8時間までと決まっている。

雇用者や管理職には、社員の健康を守る「保護義務（Fürsorgepflicht）」もあるので、もしその「保護義務」を怠って社員に有休をとらせなかったり、長時間労働をさせたりという事実が発覚すると、上司自身がペナルティを科されてしまうんです。抜き打ちで労働安全局が検査にやってくるから、そこで悪質と見なされた場合は経営者に最高1万5000ユーロの罰金か、最高1年間の禁錮刑が科されます。だから経営者や上司も必死になって、部下をバカンスに送り出すし、残業していれば怒る、というわけです。

時間を貯蓄できる「時間バンク」制度

ドイツでは、残業を貯蓄できる「時間バンク」というユニークな取り組みもあるんですよね。

そうなんです。残業代がチャリーンと貯められる……わけではなくて、「時間」を自分の口座みたいなのに貯められる仕組みです。

それはある特定の業種だけでなく、一般企業も持っている仕組みですか。

ええ、わりと一般に普及しています。実はドイツでは、「残業」代を金銭として支払うことが一般的ではなく、超過勤務した分の時間は、別の日からその分を差し引くんです。例えば、前の週に3時間「残業」をしたら、翌週どこかの日に3時間早めに帰宅するなどの調整ができるんですね。

「労働時間貯蓄制度」とも呼ばれているようですね。どんなに会社に残っても、もらえるお金が増えないなら、働く側も長時間勤務の意欲を失うから残業抑制につながりそうです。
　日本だと真逆の仕組みで、残業すると時間給が1・3倍になるんですよ。だから、残業すればするほど、儲かる仕組みになっている。

中には確信犯的な人もいますよね。ダラダラと職場に残って、残業代を稼ごうという……。

そうそう。PC越しに見るとすごく一生懸命仕事しているように見えて、背後から見るとソリティアやっているみたいな（笑）。

ある意味、部長や課長が帰るまで帰れない時間を「慰謝料」としてもらっている感覚でしょうか。だけど、これって別の意味でけっこう危険な気がしていて……。
　というのも、例えばローンを組むときって、年収を書くじゃないですか。それに「残業代」込みで申告できてしまいますよね。でもそれが、とらぬ狸の皮算用になることだってありえます。

残業代の誘惑の問題は深刻です。しかし、「上司より先には帰れない」心理的ストレスの問題の方が、より解決困難と言えるかもしれない。

同感です。以前、日本にあるドイツ機関で働いていたとき、やっぱりドイツ人スタッフだけ定時になると「お疲れ〜」と言ってピューッといなくなるんです。でも私はもう日本人的なマインドが染みついているからか「え、帰るの？ 仕事まだ残っているのに？」と感じてしまい……（笑）。

でも正しいドイツ人的には、今日終わらせようとしていた仕事が終わらなかったら、それは「計画がよくなかった」ということなんですよね。だから、「次回はちゃんと終えるだけの計画を立ててやろうね」という発想になる。

コロナ禍で在宅勤務が増えると、会社に毎日出勤する必要がなくなる。だったら週休3日でもいいじゃないか、という風潮は生まれていますね。一方で、「週明けまでに、これだけの仕事を片付けておいてくれ」と上司から言われて、週末返上で自宅で働かなくちゃならなくなった、ということも起きているようですけど。

在宅だと通勤時間がなくなるので、その分負担が軽減されます。ただ、オンとオフのすみ分けが難しい印象がありますね。会社であればその場に人がいますから、ちょっと話しかければ済むことも、リモートだといちいちスケジュール調整しなきゃいけない。しかもそういう「対話」がいくつも発生するから、リモートの予定セッティングだけで一日埋まってしまい、実際の仕事がまるで進まないという現象も起きてくる。さらに、自宅の場合は子どもが帰ってきたり、宅配が届いたりなど、会社での仕事時間には起きないことにも対応しなければならないので、悩ましいところです。状況によるメリット・デメリットの差をよくよく考える必要があるでしょうね。

新卒一括採用がないドイツ、就活はかなりハード

こうして話してみると日本人の「働き方」って、会社への帰属意識や忠誠心みたいなものと強くつながっている印象を受けます。日本では一つの会社で長年勤めあげる「働き方」がいまなお一般的で、だとすれば、多少嫌なことがあっても我慢して揉めずに過ごした方が、長い目で見て有利です。

一方、ドイツ人に「なんのために働いていますか？」と聞くと、「自分のキャリアアップのため」とか「バカンスのため」と答える人が多い。そこに「会社のため」という発想はほとんどない。もちろん純粋に「自分の働いている会社が好き」と言う人はいますし、「自分の仕事に誇りを持

っている」人が結集すれば、結果的にその会社の功績にも結びつく。でも、「会社のため」に自分のプライベートを犠牲にしてまで働くという人は、非常に少ないと思います。

では、その違いはどこから生じているのか。それはやはり「新卒一括採用」と「終身雇用制」の影響が大きい気がします。この二つはドイツにはありません。

そもそも大学の卒業時期も人それぞれ。4年で卒業する人もいれば、8年、10年と在学している「万年大学生」のような人もいます。教育システムからして、「みんなで一緒に頑張る」的な発想の醸成が希薄な気がします。


日本人は和の精神を尊びますけど、その発想は子どもの頃から育まれています。「みんな一緒」が正解だという風潮ですね。例えば留学していた子が帰国した際、元のクラスメイトと同じ学年に戻りたいと言うんですね。留年をすごく嫌がる。

要するに年齢が大事。周囲に後れを取らず、はみ出さずに生きるのが大事なんです。

人間には個体差があるから、みんな一緒のはずがない。人生の一時期でグンと伸びる子もいれば、少し歩みが遅い子もいます。そこで何を重視するかですよね。


「みんな平等でないとかわいそう」という発想は、日本の公教育の場でよく聞かれます。ですが、「公平」「平等」を意識するあまり、かえって「不公平」につながることもあります。特に日本の場合は、その「平等」思想の背景には、ある種の「体面」「世間体」のようなものが潜んでいる気がします。

そう、多数決的に定まる世間体が評価基準のベースになっている感が強い。そして、「うちの子が1年お友達から遅れるなんて、かわいそう」という、その「かわいそう」マインドが、別の評価基準を巧みに潰してしまう。

一つの評価基準に固着したマウント合戦が背後にあるというか……。

ドイツでは小学校からして、スタート年齢の違いが許容されています。ゴールも本当に人それぞれ。日本の高校に当たる「ギムナジウム」でも異年齢の同クラスは普通ですし。

ギムナジウムというのは進学コースの高等学校ですけど、当初実業学校に進んだり就職した人が再入学してくるケースもよくあります。だから、16～17歳の人たちに混じって20歳超の人が授業を受けるのもごく普通の光景です。ゆえに、私が日本で「お子さんは何歳ですか？」と質問したとき、「中2です」みたいな答えが返ってくると困惑を覚えます。それってドイツ的には年齢判断の指針にならないから（笑）。

そして、みな同年齢で進学していき、そのゴールが集団就職ということになるのでしょうか。

集団就職（笑）。それは高度経済成長期に田舎から就職列車で出てきた中学卒業生たちを指す言葉ですが、でもまぁ、たしかに今も一緒ですね。同じ年齢の若者たちが、4月1日に一斉に集団で就職するわけで。

だから世代ごとの労働人口の増減に直結する。いわゆる「団塊の世代」はとにかく人数が多いので、その一斉リタイアによる影響が懸念されています。昭和の高度成長期には、いろんなことを世代ごとの時間軸で定義するのが効果的で効率的だったんでしょう。年齢で区切り、この年齢からは、これをすると決めた方が。ただ、人口が減ってきているこれからは、また違う方法が「効率性」につながっていく気はします。

経団連の故・中西宏明前会長が、会長時代の2018年、「新卒一括採用には違和感がある」と発言して話題になりました。これからは中途採用が当たり前になるし、終身雇用ではなくなると発言しています。これからその方向に進んでいくのでしょうね。

「専門性」を重視するドイツ、「オールマイティ」を目指す日本

日本の「新卒一括採用」や「終身雇用」にも問題点があるかもしれませんが、ドイツはドイツで課題もあります。例えば「若さ」や中長期的な「伸びしろ」はほとんど重視されません。最初か

らいきなり即戦力的なアウトプットだけで評価される傾向がある。これはちょっとどうかと思う。

では大学生はどうやって労働市場に食い込むのか。まず、自分が将来働きたい会社のサイトとかで「どんな人材を募集しているのか」を確認し、履歴書を送る。ベンツとかＢＭＷみたいな国際的大企業は年に数回グループ採用をしていますけど、普通の企業は通年募集です。で、そこでインターン（研修生）になる。無給のインターンとして経験値を積んでコネをつくる一方、大学で専門知識を深めたり、海外留学で独自経験を身につけたり複数言語を習得し、「即戦力に近い」売り材料を充実させておかねばならない。だから、特に大卒だと労働市場に入り込むスタートがめちゃくちゃしんどい。それがつらすぎて、私は日本に来ちゃったという面もある（笑）。

ドイツと言えば、「マイスター制度」も有名ですよね。およそ４００種類以上の職種にわたって「マイスター」と呼ばれる人材を育成するシステムがある。厳しい見習や実習、試験をクリアした「マイスター」がいないと開業できない仕事も多くあります。パン屋とか、大工とか、花屋とかはもちろん、ドイツが誇る自動車産業でも、「マイスター」の資格を持った職人が大勢働いているそうですね。

何かの専門性を身につけるという意味では、一般企業でも同じような発想かもしれませんし、公務員ですら何かの専門職になっていくんです。街づくりの担当だったら、その道の専門知識を深めていくという感じで。

ここで大きなポイントは、そうした公務員が「この道ひとすじ数十年」の専門家として活動し続けるケースが多いということ。

日本の官公庁とも仕事をして驚くのが、ジョブローテーションによる異動の激しさです。せっかく担当業務に慣れてノウハウも蓄積してきて、さあこれからというときに観光課から人事課に異動が発令されて、また新任の人と最初からいろいろ始めなければならない。

それは確かにキャリア形成のバランスとかオールラウンダー的な人材育成とか、いろいろ意味はあるのだろうけど、実務的ノウハウの浪費というデメリットがあまりにも大きいように感じてしまう。

例えば民間企業に何かを外注する場合、発注側が事前に持っていなければならない知識がどうしても薄くなりがちで、最終的に「こんなはずじゃなかった」的にいろいろこじれる原因になったりする。総合職的な公務員でも、ミックス型人材と同時に、もう少し専門寄りの人材を育成するといいのでは？　と感じます。

テレビ局でも民放ではアナウンサー以外は一括採用がほとんどですね。採用された後、記者になるか営業担当になるか、入ってみないとわからない。民放の記者と話していたら、「これまで営業にいました」と言うのでびっくりしたことがあります。ＮＨＫの場合は記者やディレクターなどの職種別採用を続けてきたのですが、現在の前田晃伸会長の下で方針が変わり、2022年4月から一括採用になり、入ってから職種が決まる制度になります。「専門性が失われる」と不満に思っている職員が大勢います。

基本的に、教員は専門の資格が必要な仕事です。ただ逆に、学生だった人間がストレートに学校現場で働くようになるケースが多いので、社会性に乏しいとよく言われます。最近では、自治体によって公立校の採用資格に年齢制限が撤廃されているところもありますし、公募で校長を採用することもあります。多様化し、変化がめまぐるしい時代を生きる子どもたちを育てるには、様々な経験を積んだ人材も必要なのではないかと思います。

現状、どのパターンでも最適解にはならない、という悩ましさが窺えますね。

しばしば理想化して語られるドイツのマイスター制度も、尊敬されているように見えながら社会全体としては大卒の方が威張っていて、マイスター層の人たちが自分の子どもを大学に入れたがるとか、逆に、大学に行きたい子どもの希望を阻むとか、そういう軋轢（あつれき）を伝えるニュースが絶えないです。ここでもストレスがくすぶっている。

生産性を損なう「根回し」と「完璧主義」

「生産性」の話で言えば、日本に来て驚いたことに、会議の多さと長さがあります。日本の組織における「決定プロセス」はかなり独特だなと。

会議って、本来いろんな人が意見を活発に交わしながら一つの合意に達するプロセスだと思うんですが、日本の場合、「根回し」と「お伺い」の上昇プロセスの確認の場にすぎないことが多い。つまり、実は議論の場として機能していない。

よ〜くわかります（笑）。最初から決定権のある所にポーンと直接持っていけなくて、課長、部長、という順序を踏んで上げていかなくてはならないんですよね。そのたびに「これは違う」「これもちょっと違う」とちゃぶ台返しをうけて、最終的に会議で全部ひっくり返った……というようなことはよくありますね。

ですよね。社内でも社外でもパターンが同じなのが、ある意味すごい。どうも「完璧なものを提案しないとそもそも失礼にあたる」という感覚が根強いように感じます。課長のために最適化させたら部長に撃沈されて、また最初に戻って最適化する。すると今度は専務が……という繰り返し。この時間・工数的ロスは相当なものです。

もちろん、微調整を重ねたゆえの「繊細な磨かれ感」が最終的に光るケースが無いわけでもない。しかし、国際競争が加速している現代でその流儀はスピード感が無さすぎる。デメリットの方が大きい。ついでにいえば「超残業」にもつながっているでしょう。

まあ、コロナショックの影響でそれもだいぶ変わってきた気はしますが、確かに最初から100%完璧なものを出そうという、妙な律義さはよく感じますね。

社内の微調整が必要な理由の一つには、会議の場にいきなり提案を出してしまうと、そこに来たお偉いさんが「俺は聞いていないぞ」と言い出す確率が高いから、というのもありますよね。

自分が事前に聞いていないことが、気に入らないという話。

周囲からすれば「聞いていないだろうから、今話しているんです」なんだけど（笑）。日本の組織では「事前の根回し」を重視する。事前に「こういうのを出したいんですが、どうですか？」とお伺いを立てておくのが「無難」なのです。この「無難」というのは、日本の組織の機能面でかなり重要なワードですね。

ああ、それは納得です。「礼を失しない作法」が、いつの間にか機能と融合してしまうみたいな。

ちなみに会議の場で気になるといえば、「なぜか日本人が、挨拶後、一向に椅子に座ってくれない現象」もある。海外の人はさっさと座って本題に入りたいのに、なぜか日本人はモジモジして座ろうとしないので、日本人以外がいぶかしがるという現象です。

上座と下座を探しているんだ（笑）。

そうなんです。この部屋の、このテーブルと椅子の配置だと、上座はどこか、二番目はどこか、末席はどこかということを、その場にいる日本人たちが一斉に空気を読みながら探っていることが多い。

初来日客は、「えっ……なになに？　なんでみんな座らないの？」と不安がるので、そういうとき、私は「今、非常に日本的な現象が起きています」と説明します。「皆さん、お客様であるあなたを、どこの席に座らせたら、一番敬うことになるのか、頭の中で計算しているんです」と。そうすると大抵は皆さん納得してくれて、むしろ大いに興味を持たれます。なるほどこれが日本のサムライ的文化の片鱗か！　みたいに（笑）。

今、日本文化の非常に機微で繊細な部分に立ち会っていると説明すると、納得してくれると。見事な日本文化の紹介ですね。

日本の「おもてなし」と、ドイツの「サービス砂漠」

日本は「おもてなし」を大切にする国と言われていて、実際そうだと思います。「サービス砂漠」のドイツから来たゆえ、いっそう強く感じます（笑）。

そう、ドイツ社会のサービス、特に営業的サービス精神の希薄っぷりというのは凄い。高級ホテルや一流レストランは別ですけど、ごく一般的な店や公共施設を利用すると、きっと日本人は驚くと思います。

あの「キップ購入の悲劇」（第1章）もその一環ですか。

まさしくその通り。しかも、ひどさのバリエーションが豊富だったりします。カフェで注文しようとしたら店員さん同士がバカンスの話で盛り上がっていて、「今いいところだから、ちょっと待ってて！」と注文を遮（さえぎ）られたり（笑）。

で、この背景にはドイツ的なケチケチ論理があって、そもそもウェイターの業務は、

・注文をとる
・料理を運ぶ
・会計する
ことと定義されているので、「笑顔でにこやかに接客して、お客様の気分を良くする」ことは給料に含まれていない。だからやらないんだ、とむしろ堂々としている（笑）。

アメリカだとチップ制ですから、気持ちの良い接客をしてくれた人には、お客はチップでその対価を払いますよね。


ええ、ドイツにもチップ制はあります。でも少額だと、ことさら無表情で「ダンケ（ありがとう）」と一言つぶやいて終わり、というあたりが実に……（笑）。

最近は、「チップ制を廃止しています」と表示する飲食店がドイツで増えましたね。

一方、特に日本の老舗（しにせ）旅館や料亭、レストランなどの「おもてなし」は、チップ抜きでも世界一ですね。押し付けがましくなく、それでいて放置されるのでもない。適度な距離を保ちつつ、こちらが求めているものを静かに察知して、かゆいところに手が届く。これは日本が誇るべき素晴らしい文化です。

一方で、行きすぎた「おもてなし」を感じることもあります。むしろストレスなので本末転倒というか。例えばアパレルショップに入って数秒後、まるで忍者のように気配を消した店員さんがスッと近づいてきて、「これ、可愛くないですか～」と話しかけてきたり（笑）。いまだに私ビビってます。「これ、色違いもあるんですよ～」「この靴も合わせると、可愛いですよ～」と、頼んでもいないのに、いろいろ出してくる。そういう場合、鈍感力豊かなタイプのドイツ人（笑）だと「頼んでない」と断れるけれど、そうでない日本人や、日本文化に染まった私みたいなキャラだと、どうにも食い込まれてしまう……。

それは日本社会の内部でもひそかに嫌がられている面であって（笑）、最近では、店や人によりけり、という感じになってきていると思います。だって、要するにソフトかつ強引な押し付け営業じゃないですか（笑）。

そもそも今の若い人たちは店頭業務を敬遠しがちなので、人手が恒常的に足りない、という話がここ数年ありました。そこにコロナ禍での追い打ちでしょう。なので、むしろ「真のサービスとは何か」を再考し、その結果、状況が好転したケースが少なくないと聞きます。私も実際、店員さんたちが心の底から一生懸命に働き、仕事に向き合うように変化した例を体験しています。休みの時間が長かった分、仕事ができる喜びを実感しているのではないかな、と。

マイナス面ばかりに目がいくコロナ禍ですが、これがきっかけになって、人との接し方や「おもてなし」の考え方が再構築されていく面があるかもしれません。

グローバル気候マーチ 世界各地で気候変動対策訴え
Students pose with placards in front of the Brandenburg Gate during the Global Climate Strike of the movement Fridays for Future, in Berlin, Germany, September 20, 2019.
REUTERS/Fabrizio Bensch (Germany) 写真：ロイター／アフロ

第3章

教育を考える
——議論スキルを阻害するものは何か？

●いまだに残る
ブラック校則

●総合学習などの
試みはあるが、
基本は受動的な学び

●学生運動が一時期
盛り上がったが、
その後消えてしまった

●学校教育で
「正解」か「不正解」かを
求めたがる若者たち

●日本の学校の
「歴史教育」は
不十分

Japan

■16 歳からは一人前の大人扱い

■学校の国語の授業で、
議論の仕方を習い、
政治や歴史の知識も
身につける

■ドイツではデモが盛ん。
学生でもデモに参加する
ことは一般的

■ドイツの「歴史教育」は
生徒同士で議論して行う

■ドイツでも「教育格差」はある。
ドイツの学校システムの弱点

Deutschland

3-2 ドイツの教育システム

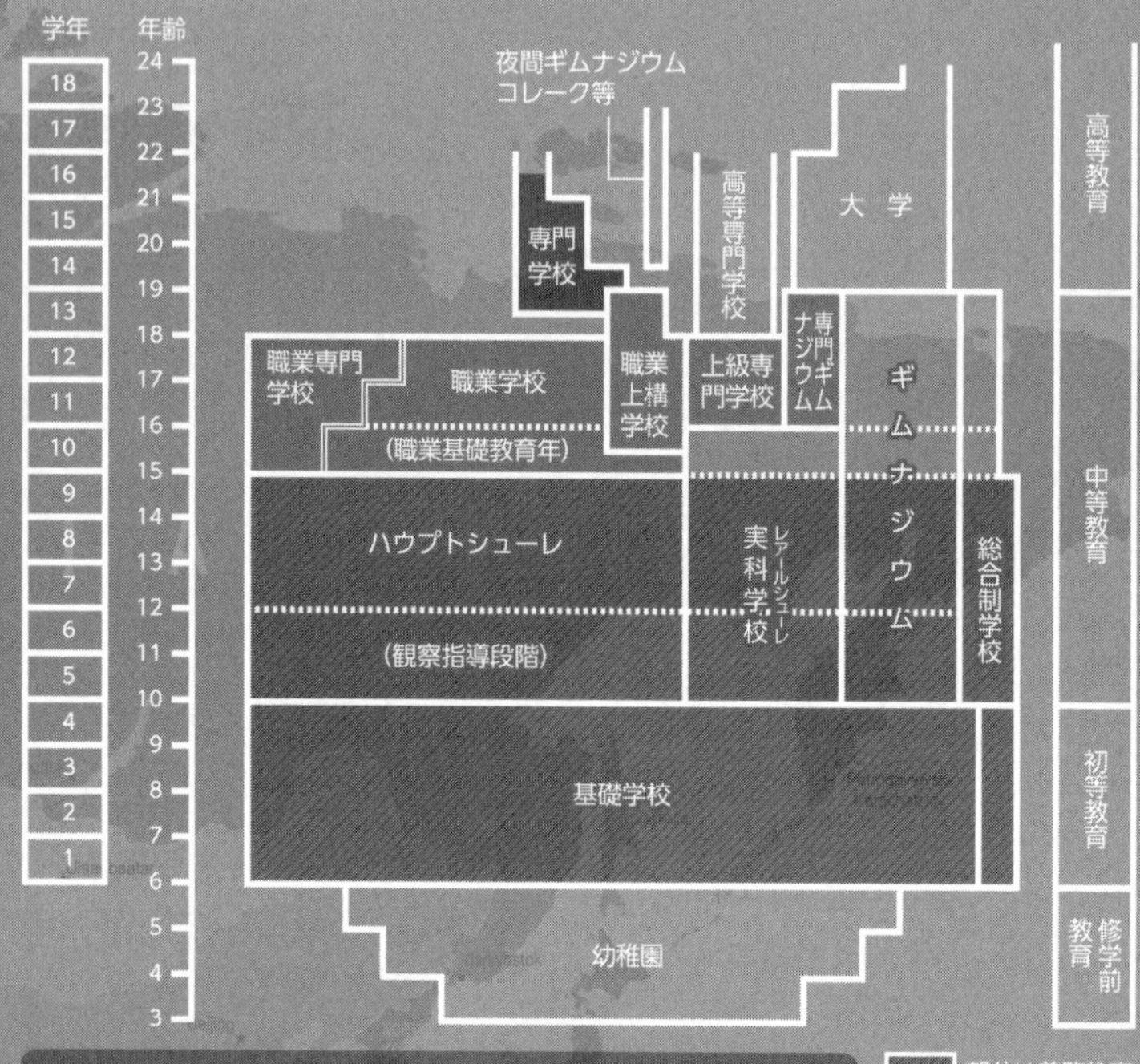

中等教育①大学進学を目指す総合学校「ギムナジウム」、②看護師や銀行員といった職業を目指す「レアールシューレ」、③自動車整備工や実技系の職人を目指す「ハウプトシューレ」。

部分は義務教育

文部科学省「教育指標の国際比較」平成16年版より引用

G7＋韓国 難民受け入れ貢献度比較

単位：受け入れ人数（人）
確定率（%）

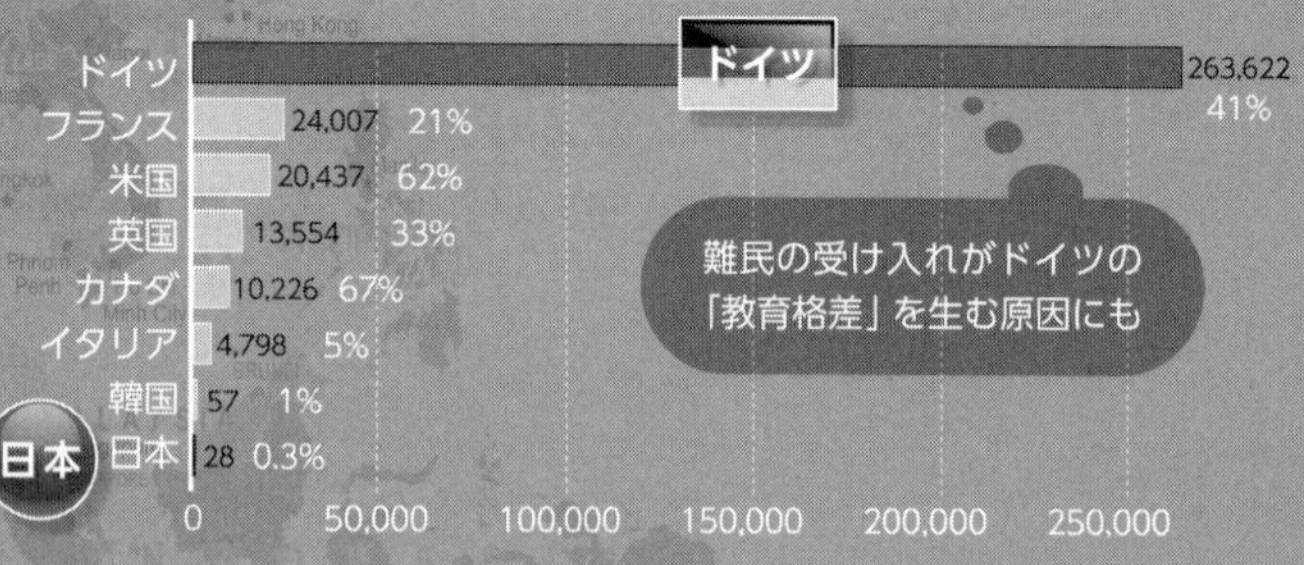

難民支援協会 HP より引用　出典：UNHCR Global Trends 2016 より作成

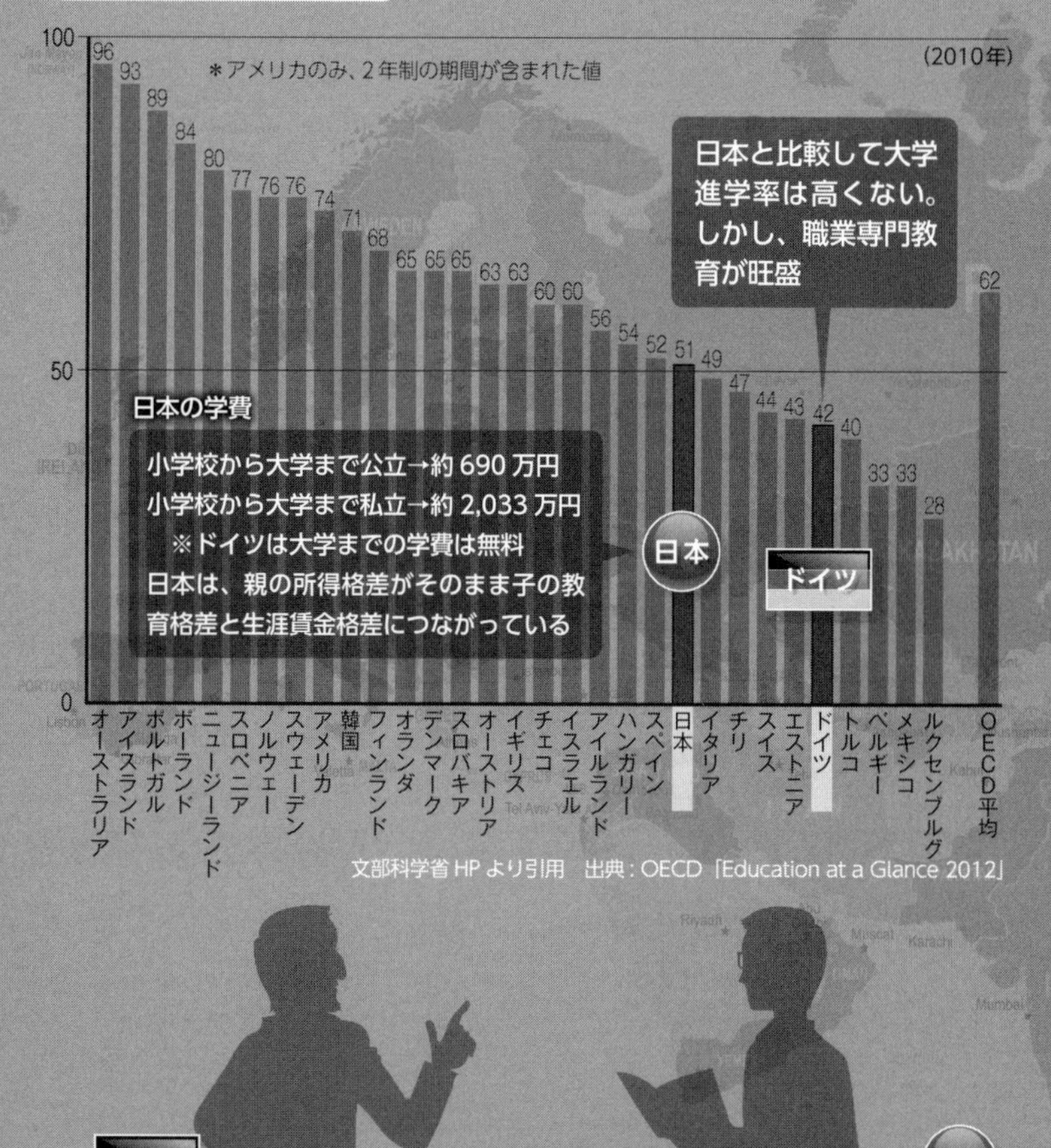

ドイツ

議論好き
デモにも積極的
学校の試験は論述

日本

議論を好まない
デモには無関心
学校の試験はマークシート

衝撃だった「ラジオ体操」

マライさんが初めて日本に留学されたのは、高校生の頃でしたよね。

そうです。10カ月間、姫路の県立高校に留学しました。ちなみにその学校に割り振られた留学生は私一人で、孤独といえば孤独でしたが、逃げ場のなさゆえ鍛えられました！（笑）。

東京は外国人も多いですが、地方だとまた勝手も違うでしょう。いかがでしたか。

地元の高校の制服を着て通学する際、道ですれ違う人が私を凝視するのがわかるんです。通り過ぎた後も首が１８０度回った状態で、まだ見ている。エクソシストかよ！（笑）。でもっていろいろ噂が立つ中、「あの高校には、金髪のヤンキーがいるらしい」というのもあったり（笑）。

不良扱いですか（笑）。日本の学校生活のカルチャーショックもなかなかだったのでは？

その通り。一番衝撃だったのは体育の授業での整列ですね。先生の合図に従って腕をピシッと前に伸ばすのが、すごく軍人っぽくて怖かった。どうして学校で軍隊の練習をしているんだろうと思いました。

ナチスを連想させる何かがここに残っていると。ドイツは戦後教育がかなりしっかりしていましたから、こういった軍隊を連想させるような行動は学校ではさせないのですよね。

整列自体させません。その意味では、ラジオ体操も全員そろって同じ動きをするのが、なかなか気まずいというか抵抗感満載というか。あと体育祭。グラウンドを全員で行進しながら腕を上げるシーンがありますよね。

校長先生や来賓客に向かって、腕を上げながら行進するあれですね。

いっやー、あれはモロにアレですからね。言い訳無用で

すね。ドイツの実家に写真を送られたらアウトすぎるというか。

手を斜め上に上げるポーズは、ナチスドイツ時代の敬礼です。「ハイルヒトラー！」と、総統を崇（あが）める挨拶でしたから、戦後ドイツでは徹底して禁止されているものです。

各国首脳が集まるサミットでも、全員がカメラに向かって笑顔で右手を上げている中、メルケル首相だけは両手を固く握っている様子が写されています。

もちろん、日本で日本人がやる分にはまったく問題はないんですけれど、ドイツではタクシーを停めるときや、授業での発言時も、絶対に右手を上げませんよね。

上げませんねー。授業なら、少し腕を曲げたまま、あるいは机に肘をついたまま、人差し指を立てたりします。どうしても発言したいときは、指をパチンとならして先生の注意をひいたり。

それ、日本の授業でやったら、むしろ怒られますよ（笑）。

まあ、そのへんはドイツならではの極端事例ですけど、とにかく留学は毎日が異文化発見の連続でした。「常識」や「ルール」とされているものが全然違いましたから。例えば校則で髪形が決まっていたり、髪用のゴムやピンの色まで指定されているというのも、なかなかの衝撃で。

黒か茶色か紺あたりでしょうか。私はマライさんより昔の人間ですが、当時から高校の規則はそんな感じでした。私が通っていた高校では、前髪は眉にかかったらピンで留めるか切るかしなければならない。もちろん染めたりパーマをかけたりは禁止でしたし、少しでも肩にかかれば二つに分けて黒いゴムで束ねる。でも実際、束ねるには短い長さなので、髪が引きつれて毛穴が赤くなって炎症を起こすこともしばしばで（苦笑）。

でもね、考えてもみてください。私、金髪なんですよ。そこに黒ゴムと黒ピン。なんかとんでもない頭になるんですね。本来は黒髪に目立たないために黒や紺指定なはずですが、地毛が金髪だと逆効果な……でも「規則にそう書いてある」から守らねばならない。そこらへんの硬直性は少し気になりました。

私の高校時代は、私学ということもありましたが、コートはもちろん、靴下まで指定されていました。問題はスカートの丈。立膝をして床にスレスレでないとダメだったんですよ。立ったときにちょうど膝下に来る長さが適切で、それ以上長くても短くてもダメ。よく、竹のものさしで測られたものです。

校則の厳しさは、その土地や学校によっても違うと思います。私はマライさんや増田さんより昔の人間ですが、都立高校ではほとんど自由で、そんな校則はありませんでしたね。

大人になってから埼玉県の公立高校でドイツ語を教えるようになりましたが、そこは比較的自由な雰囲気でした。でも、出張で訪れた同じ県内の別の学校はかなり厳しかったので、「日本の学校は」と一概には言えないのもよくわかります。

最近では「地毛証明書」なるものもあるようで、その発想に驚きます。

マライさんは、せめて「地毛証明書」を出せと言われなくてよかったですね（笑）。

ドイツだとこういった校則はほとんどありません。特に高校生ともなれば。

小学校時代は、先生が生徒に向かって、「du」という砕けた話し方をします。カジュアル二人称ですね。でも16歳になると、「Sie」つまりフォーマル二人称で呼びかけるようになります。一人前の大人として接するようになる。ただそれは選択式になっていて、先生が生徒に意向を確認するんですよ。より親密さが感じられる「du」の方が良い、と判断する生徒もいますから。

いずれにせよ、16歳からは一人前の大人。たとえ学校の先生といえども、強制的に何かを「押し付ける」ことはNG、という考えなのです。

現在の日本の校則の原型は、1873年に文部省（現・文部科学省）が制定した「小学生徒心得」と考えられています。「生徒心得」とか「校則」は、「生徒手帳」に書いてありますよね。多様化や人権が重視される現在でも、私が経験したような髪形や服装に関する「ブラック校則」は残っていて、つい最近もドラマ化されました。

下着の色まで白かベージュと校則で決められていて、検査までするんだっけ。率直な話、ありえないなぁ……。

そう。明らかにやりすぎですよね。制服でも自分なりの着こなしや可愛さ、カッコよさを追求したいという気持ちは十二分に理解できます。でも……ただでさえ若さがまぶしく美しい年代の子が肌をあらわにしていると、もう私のようなオバサンでさえ、太ももや胸元に目がいっちゃうんですね（笑）。

私と同世代で、子育て中の男性も「電車に乗って短いスカートの女子高生が前に座ってると、目のやり場に困る！　自分にも高校生の娘がいるから、いやらしい気持ちで見るというより、悪いヤツに狙われないかと心配になる。今は校則もゆるくて自由なのかな」などとボヤいてました。

そのあたりの心理面の問題は難しい。人権派の弁護士の中には、髪形や服装が事件に結びつくことはない、人権侵害だと主張する人もいるけれど、どちらかが絶対に正しいなどと一言では言えない気がするな。最近は、男女別の制服というより、女子でもスカートではなくズボンを選べるとか、ネクタイやリボンの色も選べるとか、デザインも洗練されてきたし、自由度も高くなってきてはいるよね。

これは、当事者である中高生や保護者からの声として出ていますが、自分たちで校則をつくらせればいいんじゃないかと思います。そうすれば、校則の内容についても、行動に関しても、責任を伴うのではないかと。

中高生とはいえ、自主性を重んじればそれが自立につながっていく、というポジティブ効果は実際にあると思います。

先生に従う日本人、議論するドイツ人

要は大人が子どもを子ども扱いしすぎるから、日本では中高生がいつまでたっても幼い印象が強いのかもしれません。

以前、ドイツの極右グループのデモを取材した際、それに反対するグループのデモに中高生の

女子たちも参加していて驚きました。段ボールの切れ端にカラフルなペンで「STOP NAZI」（ナチを止めろ）などと書いた手作りのプラカードを掲げていたんです。とても大人びた雰囲気だったので、中学2年生と聞いたときにはビックリしましたね。

ドイツの学校では、模擬選挙の取材もしました。ナチスドイツの時代の歴史を徹底的に叩き込まれることや、一票を投じることの重みなどをしっかり学ぶ、ということは理解しているつもりでしたが、デモに代表される行動面に関しても、積極的に教育をしているのでしょうか。

学校で、デモの話は普通に出てきますね。生徒同士はもちろん、先生が生徒に向かって、「先週のデモに行ってきた人はいますか」と普通に聞いたりする。もちろん、教師が特定の政治的主張に生徒を誘導することはありませんが、一人の意思を持った人間として、政治活動に参加するのはごく当然という感覚です。

実は以前、そのあたりの意識の違いを実感したことがあるんです。毎年、私が通訳として参加する日独学生の交流会があって、あるとき「政治参画の意義について議論しよう」という流れになったんですね。政治好きなドイツ人グループからの発案らしいのですが、そこで日本側の学生たちが「政治についてはよくわからない」と思考停止してしまったんです。

その図は容易に想像できますね。

ホワイトボードに「政治とはどんなイメージか」を書き込んでいく時点で、日本の学生たちからは「自分たちと縁遠いもの」みたいな言葉しか出てこなくて……。

で、そこであるドイツの青年が解説したんです。

「政治って堅苦しいものじゃなくて、家から一歩外に出たら、全部『政治』だよ。学校で生徒会長を決めるための投票をするでしょ。それも立派な『政治』。むしろ、日常生活に関わることで『政治』的じゃないことなんて、一つもないんだ」と。

それが日本チームにとって大変な衝撃だったらしく、一気に雰囲気が変わりました。

日本側の学生の中に、仲間とホームレス支援のボランティア活動をしている子がいて、普段「日本の制度がもっとこうだったら、こんなこともしてあげられるのに」と話していたそうです。「じゃあ、私たちのこれまでの会話も全部『政治』の話だったということ?」と尋ねていました。

だから日本人の日常が非政治的だなんていうことはなくて、自然と参加しているんです。いろいろな意見も胸の内に抱えている。だけど、その活動や発言が「政治」と結びつく自覚がない。

政治的な意識はあっても、明確に気づく機会がなかったんですね。

逆にドイツの学生は、どうやって政治的な感覚を持つようになるのでしょう。

授業では、例えばドイツの実在の各政党にチーム分けして、政策の模擬討論会などを行ったりします。反原発を掲げる政党に割り振られたら、その政党の立場でちゃんと「反原発」の根拠をアピールしなくてはいけない。逆に「原発推進」政党なら、同様にその理由をきちんと説明しなくてはなりません。

そうした授業を通じて、各政党にはそれぞれの主義主張があり、マニフェストがあるんだと学んでいきます。そうすると自然に、若い人も積極的に政治について議論したり、デモに参加するようになるんですよね。

逆に日本ではどうですか。学校では政治やデモについて、どのように教えていますか。

社会科の授業で、各人にデモの権利はあります、ということは教えていますが、そこ止まりではないでしょうか。教師が政治活動について、積極的に生徒を導いたりすることはほとんどないと思います。

日本では、先生の話を一方的に聞く受動的な学びが、これまで一般的でした。生徒自らが積極的に参加して、議論していく能動的な学びを目指すようになったのはここ最近のことです。学習指導要領の改訂でいえば、2000年から段階的に「総合的な学習の時間」(以下、総合学習)が始まりました。教科書のない、教科の垣根をこえた、子どもたちの主体的な学びを実践する授業の時間です。私自身、この時期教壇に立ちながら、総合学習の取材もしていましたが、授業の充実度に明らかにバラツキが出てしまう。

それはなぜか。

例えば教える教員側が、自分たちが学んできたのは先生が一方的にする授業であり、定期テストや受験のために正解を覚えるためのテクニックを教えることしかしてこなかったから。何をどう教えたらいいか、教え込むのではなく子どもたちの主体性を引き出すにはどうしたらいいか、わからない教員が圧倒的に多かったからですね。もちろん、教員自身が学校の学び以外にも様々な経験をしていれば、その分授業に反映できることも多くなるわけです。脱マニュアル化を指向した授業のはずなのに、実施にあたってむしろマニュアルが必要となる皮肉な一面もありました。

特に高校生の場合、進学を目指している子たちは受験のためのテクニックを求める傾向が強い。だから、出題に対して正解を効率よく導き出せる授業、ざっくりいえば暗記すべき内容さえ教えてもらえればいいという姿勢だったよね。ようやく最近になって、入試自体の出題傾向が変わってきて、時事問題や自ら答えを導き出す思考が求められるようになってきたけれど。

私自身、暗記系よりも総合学習のような授業が好きだったので、通常の世界史や現代社会の授業でも取り入れるようにしていました。ただ、一部の生徒からは「総合学習みたいな調べ学習やプレゼンの内容は、個人やグループで違うのに、平等に納得のいく点数をもらえるのか」と抗議に近い声をもらったことがあります。隣のクラスはテストの点数だけで成績がつき、その成績が進学の際の推薦に影響するから不公平感がある、と言うのです。ですから、記述式の答えの基準まで細かく提示して試験をするようにしていました。

それじゃあ、過度に神経を使うし、手間もかかるね。

私は社会科の教員でしたが、日本の学校で模擬投票をやるのはいろいろとハードルが高かった。選挙活動を教材にしようとすると、「実際の選挙結果に影響を与えるようなことになったらどうするのか」というクレームが出ないようにしなければなりませんから。
一度、池上さんと九州に講演会に行ったときに、選挙をテーマに話してくれと言われてドイツの模擬選挙の話をしたら、控室に高校生が来て私たちに訴えていましたよね。

そう！　模擬選挙をするための立候補者の設定が、織田信長や豊臣秀吉だとか言っていた（笑）。あれはビックリしたね。

いくら現実の選挙に影響を与えないように、と言われても、さすがにそれはないだろうと生徒たちも思っていたわけですよね。

ぶっちゃけ、子どもは大人が思ってるより断然賢いですからね（笑）。あと、たとえ授業での議論を「無菌化」したとしても、どのみち家庭環境での政治的な刷り込みの影響が大きかったりするから、総合的に見てその配慮にはあまり意味があるように思えない。強いて言えば、モンスターペアレンツからの反応が面倒だから仕方なしにやっている、という感じでしょうか。

でもよくよく振り返ってみると、そうした政治的なテーマを扱う以前に、ドイツでは小学校時代から、国語の授業とかで論理的思考を鍛えるんです。国語、つまりドイツ語の授業ですけど、あるテーマに関して起承転結で論理展開をしていく練習を、話し言葉でも書く文章でも積み重ねていく。

例えば「学校には制服があった方がいいですか、無い方がいいですか。どちらか選んで論じなさい」という感じ。日本だと社会科に属する授業の出題っぽいですけど（笑）。

ドイツだと、とにかく容赦なくそれなりの論理性を要求するから、「私は制服があった方がいいと思います」という結論だけ述べてもダメで、「なぜそう思うのか」「根拠は何か」「制服があるとどうなるのか」「無いとどういうメリット・デメリットがあるのか」など、客観的な視点を交えて「論じ」ていかなくてはならないんです。

文学作品でも同じです。宿題で「明日までにこの本の20ページ分を読んできなさい」と指示され、翌日はクラスで「この作者の表現について、時代背景を考慮しながら考えたことを論じなさい」と出たりする。それでみんなで議論する。もう、自然に。

ドイツ人が議論好き、論理的と言われるゆえんですね。学校ですでに徹底的に訓練されているわけだ。

あまり自覚していなかったけど、多分そういうことですね。逆に、ドイツ人は自分がそれほど詳しくない分野でも、ついついハッタリをかましながら論戦してしまったりする。ポジション維持の反射的な本能でしょうけど、正直、それはちょっとどうかなという気がしなくもない（笑）。

そういった傾向の知的ベースの上に、今度は「歴史」や「政治」の授業が始まります。「歴史」では、年号や出来事も当然覚えるけど、その先にやはり議論が来る。

例えばナポレオンのスピーチを読んで、「このスピーチを歴史的な背景を踏まえてどう解釈しますか」などについて述べなくてはいけない。「現代の右派と、ナチス時代の右派について、共通点と差異を述べなさい」「民主主義とは何か。民主主義ではなかった時代には、何が起こっていたのか」とか……もうテーマは無限ですよね。

もちろん質問はかなりハイレベルですが、学生の答えはバラバラです。そこは先生が助け舟も出しながら、相手を納得させるだけの根拠を持って話していくんです。

ドイツが、こうまでして「議論」を子どもたちに仕込んでいく背景には、やはり自分たちがかつてヒトラーの言動に丸め込まれてしまったという教訓があるからです。強いカリスマを持つ「リーダー」が力強く「指導力」をアピールしたときに、それでも騙されないためにはどうしたらいいのか。結局は、自分の頭で考えて、少しでもおかしいと思う点があれば自力で相手を論破する、あるいは相手の主張の論理的瑕疵を検出するような力をつけるべきだろうと。

旧東ドイツでは個人の意見が封じられ、秘密警察への密告も日常茶飯事でした。民主主義や表現の自由、個人の権利とは、黙っていて簡単に手に入るものではなく、いついかなるときでも簡単に奪われかねない、という認識がある。それが学校教育まで浸透しているのだと思います。

ドイツ人から見た「お友達の皆さん」への違和感

日本人はデモに参加しないというイメージがありましたけど、それでも2010年代後半以降はデモの話題が増え、参加する人たちの姿も見かけるようになりました。大昔、学生運動が盛んだった時代には活発だったと聞きますが。


1960年代から70年代にかけては、日本でも学生運動が非常に活発でしたね。私は1965年に高校に入学しましたが、朝礼には怪我をして腕を三角布で吊った生徒会長が登場しました。後で聞いたら、「昨日、機動隊と衝突して骨折した」とのことでした。そんな時代でしたよ。

当時、高校生や大学生がデモに行くのは、ごく普通のことでした。東京の一部だけかもしれませんが。東京都の教育委員会から、3校以上の高校生が連絡しあうことは禁止というお達しが出ていたくらい。69年には都立青山高校で、学生が校舎を占拠して、機動隊が出動する騒ぎも起きました。

池上さんも、デモに参加されていたんですか。

私は東京教育大学（現・筑波大学）を志願していて、ある日見学に行ったら学内で学生たちが筑波への移転に反対してストライキに入っていて、デモをしていたんですよ。つい一緒になって参加しました。そのうちに、翌年の入試が中止になってしまいました……。自分で自分の首を絞めましたね（笑）。

当時は、アメリカのベトナム戦争に日本政府が協力していることに対する抗議や、日米安保条約の自動延長への反対デモが盛んでした。でも同時に、大学や高校といった組織における権威主義への反発心もあったんですよね。だから学園紛争の時代には、あちこちの高校で「制服反対活動」も起きたんです。その結果、実際に、あの時期に制服を廃止する公立校が相次いだんです。

ところが、学生デモが下火になった頃からか、奇妙な現象が起こり始めました。せっかく廃止になったはずの制服が、どんどん復活していったんですね。肝心の生徒の方から、「私服だと何を着ていいのかわからないから、制服に戻してほしい」という声も上がったと聞いています。

まさに、リアル『自由からの逃走』というか（笑）。

そうなんですよ。でも教育現場の実態から見ると、それはそれで納得感もあって……。

私自身、私学で私服の中学校に通っていましたが、毎日着ていくものを準備したり考えたりする手間って本当に負担なんですよ。それに私服って、ともすると家庭の経済事情が表面化する要因にもなるんですね。毎日同じ服を着てくる子がいたり、逆に毎日違う服装の子が出てきたり。同じスーツを制服のようにして毎日着てくる子に対して陰口を言う子もいました。いじめの誘発原因にもなりうるので、そのあたりの是非はなかなか難しいと感じます。

でも、２０００年前後のことだったと思いますが、子どもたちの自主性を尊重し、校則に見られる押し付けをなくしていこう、もっと自由でいいじゃないか、と制服をなくす学校が目立ってきたんですね。高校が多かったように思いますが、制服をなくしたら、なんと制服っぽい私服が売れるようになってきた！（笑）。実に興味深い現象です。

例えばイーストボーイというブランド。このブランドに依頼して正規の制服を採用している学校もありますが、校則の範囲内で着こなせる「私服」も販売しています。ですから、ブレザーやチェックのスカート、ブラウスやネクタイといった「私服」をわざわざ買って制服のように着るのが流行ったり、高校を卒業しているにもかかわらず、ＪＫ（女子高生）ブームを意識して、高校の制服ファッションを楽しんでいる子もいました。本人たちは「なんちゃって女子高生でーす！」なんて言っていましたが。不思議ですよね。

結局、権威とか規則、ルールに従う方が楽、ということなのでしょうか。戦後の反省から、一時は「民主主義や言論の自由が大切だ」「いざとなったらデモ抗議をすべきだ」という機運が高まった日本ですが、その勢いも1970年代まででした。

私は1964年の東京五輪の年の生まれで、学生運動は直接体験していません。むしろ高校入学が1980年という世代は、高度経済成長に沸き、その後のオイルショックも乗り越えた日本で、「きちんと勉強して良い大学に入れれば、将来は安泰」「みんなと同じにルールを守って生活しよう」という感覚が常識化していました。

小学生の頃から、常に「平等」意識が中心にあり、皆と同じでないと許されないような雰囲気がありました。規則がない領域でも、なぜか男の子の持ち物は一律青で、女の子は赤とされていましたよね。絵の具セットも全員同じプラスチックケースで、男女が青と赤の色違いを持っている。いわゆる不文律みたいな。

その中で、なぜかピンク色のビニール張りのケースに絵の具を入れて登校していた私は非常に目立ちました。みんなにジロジロ見られて、子ども心に「う～ん」と疑問だったのを覚えています。家に帰って母親に話すと「なんでみんな同じケースじゃなきゃいけないの？　絵の具をしまって運ぶんだから何でもいいじゃない」と、そんな親に育てられたから、私はこうなってしまった（苦笑）。

受験勉強はどんどん熾烈になっていき、「いい大学」「いい就職先」を皆が目指していく時代でした。すると落ちこぼれ組の問題、「非行」という言葉も登場しました。私が中学3年生の1979年に、そうした問題をうまく可視化して評判になったドラマ『3年B組金八先生』がスタートしたんですよ。世間の一般人が歩むスタンダードコースが歴然とあり、そこから外れた人間は「不良」と呼ばれる。そんな時代でした。

学級崩壊というのが言われ始めたのも、その頃ですか。

いや、学級崩壊はもう少しあと、1990年代後半になってからです。そして「非行」「不良」問題のあとに、「不登校」「ひきこもり」の時代が到来しました。問題が複雑化・深刻化して、学校に来なくなる、来られなくなる子が増えていったんです。

ふと思い出したんですけど、日本の高校生活で衝撃を覚えたことの一つが、同級生同士を「お友達」と呼ばせる習慣でした。「えっ」と思いましたよね。「お友達の皆さん」って、「いや、同級生だけど、友達かどうかはまた別の話じゃない？」と。

世の中、いろんな付き合い、いろんな関係性があるわけじゃないですか。学校に限らず社会でも、友達もいればライバルもいるし、敵もいるかもしれません。ドイツでもイジメはありますしね。でも、そういった多様な関係を全部ひっくるめて「お友達の皆さん」と決めつけてしまう感覚。多分、日本人は慣れ親しみすぎてあまり何も感じていないかもしれませんけど、日本語がベースでないと、そういう細かいところも奇妙に感じてしまうんですよね。

ここでのお友達は、クラスの皆さん、という呼びかけ程度の意味で使っているんですよね。でも「みんな仲良くしなくてはいけない」という暗黙の前提がある、といえば確かにある。

夕方になると防災無線が町内に流れて、「良い子の皆さん、5時になりました。おうちに帰りましょう」と言うの。

あれ、「良い子じゃなかったら、家に帰らなくていいのかな」とか、思っちゃっていましたよね（笑）。

ああ、実に池上さんらしい……（笑）。

日本の学生デモは、なぜ民主主義意識の定着につながらなかったのか

なんか、ドイツの50年代、60年代くらいを彷彿とさせます。北部だといわゆるプロイセン的な権威主義の伝統もあり、ドイツの学校文化も昔はかなりハードで、校則ずくめだったんです。でも、それが学生運動を境に変化していった。

だからすごく不思議です。同じように学生運動が盛り上がり、その後、教育現場の葛藤もあったのに、双方の国の学生の政治参画意識に、なぜこのような違いが生じてしまったのか。

日本では学生運動が過激になりすぎ、凄惨なリンチ事件も起きました。間違いなくその反動があると思うんです。若者が政治に口を出し、デモをし、それに歯止めがかからなくなることを、大人たちが危険視した。その反動から、結局社会に従っていた方が安泰という雰囲気と合意が生まれたような気がします。

でも、それを言うならドイツの学生運動だって相当なものでしたよね。ドイツ赤軍なんかも生まれて、かなり大規模なテロ行為を繰り返していました。

ドイツ赤軍、ありましたね。銀行強盗、誘拐、殺害、デパート爆破……あらゆる事件を引き起こした、反米、反資本主義、反帝国主義を掲げていた極左グループですね。

首謀者の苗字を合わせて「バーダー・マインホフ・グループ（Baader-Meinhof-Gruppe）」と呼ばれていました。日本の連合赤軍のような存在でした。

もっとも、このグループが結成された１９６８年、69年は、世界の先進国で学生運動が非常に盛り上がった時期です。フランスでは１９６７年にパリで「５月革命」が起こり、学生たちが学生街カルチエ・ラタンを占拠していました。当時は、今日鼎談を行っているここ神田の地も、日本のカルチエ・ラタンと呼ばれていたものです。パリで学生と警官隊が衝突していたのと同様のことが、この神田でも起こっていたから。当時はこの地に明治大学と日本大学、中央大学のキャンパスがあり、学生たちが「ベトナム戦争反対！」を叫んでいました。

その頃、アメリカではベトナム戦争反対を訴えていた学生が、キャンパスで州兵に射殺されるという衝撃的な出来事がありました。中国では文化大革命が起こり、チェコスロバキアではソ連軍介入により、民主化運動「プラハの春」が押しつぶされました。そういった世界的な動きと共に、高度経済成長のひずみも生まれていた。国全体が豊かになった代償として格差も広がっていたんです。そういったことに対する問題意識や危機意識が、世界の学生を駆り立てた稀有な時代だったと言えますね。

ドイツには固有の事情もありました。

第二次世界大戦が終わると、ナチス高官たちは裁判にかけられましたけど、抜け穴も多く、「政治的に正しい」けど実務能力の低い人に代えてひそかに元ナチの人材が再起用されるみたいな事情が、社会の各階層にあった。ゆえに元ナチ層は案外そのまま羽振りを利かせながら戦後ドイツで暮らしていて、それに対する若者からの反発が強まっていたんです。

「ヒトラーは悪い。ナチス幹部も悪い。だけど、彼らが行っていることを沈黙してただ見守るだけだった〝普通の人びと〟には何の責任もないのか？」という疑問の声です。

たしか数年前にもそういう議論がありましたよね。ナチスばかり悪く言うけど、ではドイツ国防軍は何をしていたのかと。つまり一般国民も当時は徴兵制でドイツ国防軍の一員になっていたわけです。彼らの罪は問われないのかという声です。

いわゆる「国防軍潔白伝説」の問題ですね。正直、潔白なわけないだろうと誰もが認識していた

わけですが、そういう草の根タブーというのは意外と強力で、学生運動の時代でもあまり槍玉に挙げられなかったりする。国防軍の人脈は親衛隊に比べて広く深く社会の各階層の利害と絡んでいたから、長いこと話題として封じられてきたのかもしれない。

ときに左派、過激派をめぐる問題を考える際に一つ踏まえておくべきだと思うのは、ドイツの場合、旧東ドイツの存在が大きかっただろう、ということ。

日本人にとって社会主義は実感的に遠い存在でした。でもドイツの場合、当時すぐ隣に東ドイツや東欧諸国が控えていましたよね。その向こうにはソ連もあります。内情はどうであれ、マルクス主義を受け継ぐ社会主義国家が厳然としてそこに存在する以上、「西ドイツも革命を起こさなくては」「起こせるはず」と考える左翼思想も、ある程度強いリアリティを感じさせたのかもしれません。結果的に彼らも旧東ドイツ消滅と共に、勢いを失っていくわけですが……。

ちなみにドイツ赤軍の残党は、旧東ドイツに潜伏していたことが東西ドイツ統一後に明るみに出て、かなり社会的に衝撃を与えていましたね。

余談ですが、ドイツ赤軍は、日本赤軍同様、パレスチナにも行きました。世界革命のためには、革命の拠点をつくり、同志をつくらねばという発想です。当時のパレスチナにはあちこちから赤軍派が集結していましたから。

いずれにせよ、日本では連合赤軍のあまりにも凄惨な事件が続いた結果、すっかり学生運動そのものが下火になってしまいましたが、ドイツではいい感じで民主主義の活動につながっていきました。この違いは一体何なのか……。

私も残念ながらその問いに対する明確な答えは持っていません。

臆測を言えば、それは「人間およびその行動に対する意味の追究」を執念深く行うドイツ的な特質が、「議論授業」や「デモ参加の継続」をもたらした、と説明できるように思うのですが、そのウラを取るためにも、改めて親世代に問いただしてみないといけない宿題であるように感じます。「あなたたちの世代に何があったのですか」と、それも一歩踏み込んだ深層に。

「正解」か「不正解」かだけを求める若者たち

教員経験からの関心でお聞きするのですが、マライさんは日本の学校教育についてどのように感じていますか。

まず「塾」の存在に驚きました。学校に通いながら、さらに放課後わざわざお金を払って、再び勉強しに行くってどういうことかと。

そのわりに、授業では寝ていたりする（笑）。あるいは、発言や質問も一切ない。私が留学していたとき、一回だけ英語の授業で質問したんです。英語で「どちらか」を示す「either」の単語が出てきて、その発音を確認したかったんです。ドイツでは「アイザー」と習っていたのに、日本では「イーザー」と発音していたので、どちらが正しいのかなと思って。でも手を挙げた瞬間に、ザッとクラス全員の視線が飛んできて、ものすごくびっくりしました。ここでは、発言や疑問はそもそも異様なもの扱いなんだなと（笑）。

ドイツの授業は参加型なので、発言の多さと質で成績が決まります。6～7割が発言内容で決まり、あとの3～4割がテストの結果。だから授業で寝ていようものなら、あっさり留年になります。授業中に無言のままなら絶対に好成績は得られません。

後々、自分も日本の教壇に立つようになって感じたのは、多くの子が「出来合いの正解を求めている」ことです。まるで世の中には「正解」か「不正解」かしか存在していないようで、その正解を「選び取れない」状況に置かれると、みんな沈黙してしまう。

「正解＝スタンダード」的なものにうまく追随さえすれば無難に普通の生活ができて、良い大学に行って、良い就職ができる。そういうのが勝ちパターン的に刷り込まれているようだなと。正解の導出ルートが明確ではない質問を授業で放つと、誰も答えてくれない。そのときの絶対的な拒絶感は半端ないです。

私も複数の大学で教えていますが、1年生のときは、それでもまだ質問してくる学生がいるのです。ところが、2年生、3年生になるにつれて、質問しなくなります。「なまじ質問をして、変な奴と思われたくない」という、いわゆる空気を読むようになるんです。

私が高校の授業で心がけていたことの一つが、どんなことでも気兼ねなく質問できる雰囲気を授業でつくることでした。それには初めての授業が肝心で、「どんなことでもいいから、わからないことは何でも言ってほしい。できる限り答えていくから」と繰り返し呼び掛けていました。それでも、クラスによって雰囲気が違うので、思うようにならないこともあって難しかったですけど。

「正解」「不正解」二択主義という面では、まあ日本では当たり前らしいのですが、マークシート方式のテストにも驚きました。質問に対し「この中のどれかが正解」と示されているじゃないですか。こうしたタイプの試験自体、日本に来て初めて体験しました。

ドイツでは記述や論述式のテストが一般的なんですよね。

学校の普通のテストもそうですし、大学受験も記述式です。ドイツでは大学入学試験の代わりに、「アビトゥーア（Abitur）」という高校卒業試験があるんですが、それもひたすら論述です。私は文学、美術、社会、数学の4つを選択したんですけど、4時間くらい延々と書きまくって、終いには手が痛くなってしまった。

論述試験が4時間なんて、日本でやったらえらいことになりますね。

文学での出題は、ドイツ詩人のポエムが出て、それを分析論述しなさいというものでした。問われているのは知識ではなく、その人の意見。ガチで自分の見解を論述展開しなくてはいけません。

論述は書く方も大変ですが、採点する方もまた大変。先ほどお話ししたように、私もかつて論文形式で記述試験を出したことがありましたが、生徒と親の両方からクレームが来ました。「この採点は先生の主観ですよね」と。要するに「平等」ではないと言うんですね。

成績をつける際には教科主任の先生からも教務手帳をのぞき込まれる（！）というやり方でチェックが入りました。

「この生徒は、五段階評価の5にするにはテストの平均点が基準より1点低いですけれど、5なのはなぜですか」と。

その生徒は、提出物の内容が優れていて、足りない1点分をカバーするには十分だったので5をつけたんです。それを説明したら納得してもらえましたけど、「公平性」を期す日本では、記述式の採点やリポートの評価はなかなか難しいものだと実感しましたね。

例えば同じ世界史の授業でも、担当者が複数だった場合、着眼点とか重点が当然違うわけです。で、担当者それぞれで試験問題をつくって成績をつけると「平等じゃない」と言い出す人が必ずいる。その点、マークシートや、○や×、あるいは記号で答える方式で学年共通のテストを行えば「安心」なんです。少なくとも「不公平」にはならないから。

それは実感的によくわかります。私も採点する側になると、非常に悩みますから。

たしかに記述や論述は、判断が曖昧になりやすい。私の母は総合学校の教師で、父は大学教授ですけど、以前そのあたりの内情を聞いてみたら、彼らも「ドイツでも本当にそのあたりをフェアに対応できているかといえば、ちょっと疑問だよね」と言ってました。

だから、授業での発言はある程度救いの手段でもあるんですよ。テストの点数が多少曖昧でも、積極的に授業で発言をしていればその子の能力も大体わかるし、その積極性も評価できますから。

なるほど。日本には内申書という制度があります。一般受験とは別に、通っている学校での評価によって、推薦進学できる仕組みがある。それを狙うから学校での「平等性」にみんなすごく敏感になるんですよね。でもドイツの「アビトゥーア」も、ある意味その学校の判断ですよね。

そういうことになりますね。だから「公平さ」を期すという意味では、実際に公平かどうかを後からしっかりチェックできるシステムにはなっています。卒業試験の「アビトゥーア」では、教科ごとに新しいノートを1冊ずつ持っていくんですよ。

試験会場でノートを渡されるわけですね。

いえ、自分でノートを用意して持っていくんです。そして、そのノートのページごとに縦半分に折り目をつけておく。試験が始まったら、答案の論述は、その左側にズラーッと書いていきます。ではページの右側は何に使うかというと、採点者のコメントが書き込まれていくんです。

だからもし採点結果に不満があるとなれば、そのノートを証拠として、妥当かどうかを双方が判断していく仕組みになっています。

解答用紙がノートとは、考えられていますね。

フィンランドの学校現場を取材したときにも、成績に不満や疑問があれば不服申し立てができると聞いて驚きました。結果に納得いかなければ当然の権利だと。先生もイヤな顔をすることなく話を聞いてくれるし、その結果、成績が上がることもあります。日本ではありえない！　と思いました。

日本の大学での定期試験はそうなっていますよ。私が悪い成績をつけたりすると、不服申し立てが必ず何件かありますから。

その際、どういう気分になりますか？

もちろんイヤな気分になります（笑）。だから懇切丁寧に「いかに君の答案がお粗末か」を説明します。でも、私の明らかな間違いで悪い点数をつけてしまった学生さんもいて、そういう場合は素直に謝ります。

試験といえば、私が日本語で書いたエッセイが私立中学の入試に使われたことがあるんです。文章の一節にラインが引かれていて、「この人は何を思っているのでしょう」という設問が五択で示されている。

この設問で選択式なんだと驚きながらその五つの候補を見てみるに、当の著者自身にもよくわからない（笑）。「BとCの間くらいかなぁ」と悩んだんですが、どうもどれか一つだけを「正解」にしなければいけないらしい。

でも、人の心なんて揺らぐものだし、この場合、たった一つの「正解」に絞り込むという思考法そのものに問題がある気がする。それなのに、排他的な「正解」の絞り込みの訓練を教育方針にしていたら、社会に出てから実戦的な知性を生かせるようになれるのか？　と、ふと不安になりました。

これまで学校の話をしてきましたけど、「教育」と一口に言っても、「学校と生徒」の関係もありますし、「親と子」の関係もありますよね。

マライさんに質問ですけど、ドイツのお父さん、お母さんは子どもに対して先回りでいろいろ準備してあげたりしますか。

先回り……どんな感じですか。

子どもの代わりに前もっていろいろ準備してあげてしまう的な。

高校の教壇に立っていた実感として、指示待ち人間が年々増えていったんですよね。まるで口を開けて餌が来るのを待っているヒナ鳥みたいな。

「先生、試験勉強用にプリントをつくってよ。つくってくれないなんて、先生怠慢」みたいに言ってくる。いろいろ探りを入れてみると、子どもが苦労しないよう親が先に何でも準備してあげたり、試験対策をしてくれる塾での学び方が「常識」だと思っている。そんな成育環境の存在と影響が浮き彫りになってくる。

いまどきの生活感覚だと、子どもが何もしなくても親が食事の準備をするか、それができなくてもコンビニにすぐに買いに行ける。お風呂もピッとボタンを押せば、快適な温度のお湯が出てきます。自分で努力したり、何かをじっと待ったりする経験が少なくなっている。一方、権利だけはしっかり主張してくる、そんな印象ですね。

権利の主張が妙に強い、という実感は同じです。私も学校で教えながら、生徒から「不当な扱いをされました」とか言われないよう、とても気を遣う瞬間がありました。
あと私の場合、教条的な詰め込み教育の反動で発生した「ゆとり教育」の問題についても考えさせられました。ちょうど学校でその世代を教えていたんですけど、学生たち自身が「ゆとり世代」と呼ばれることに少なからず悩んでいた様子で、ちょっと切なかったです。「私たちは、どうせ頑張っても、『ゆとり世代』だからって言われるんだよね」と。
生まれた年代で教育方針が大きく異なり、その特徴をいつまでもあれこれ言われるのは、ちょっとしんどいですよね。

日本の大学入試センター試験が「大学入学共通テスト」に変わりました。このとき英語のスピーキング能力テストに民間の試験を活用しようとか、国語に記述式を導入しようとかいうことに当初なっていたのですが、結局、民間試験は受験生の費用の負担が増える、国語の記述式では採点者を確保するのが困難だ、などの理由で立ち消えになりました。こういう論議は、教育の専門家ではない、政治家たちの思い付きで始まるものですから、教育現場が振り回されるのです。記述式だったら、マークシート方式の共通テストで受験生を絞った後で、各大学が実施すればいいのだと思いますよ。

日本とドイツの「教育格差」

ドイツの学校教育にも課題はあります。よく言われるのは、将来の進路を決めるタイミングが早すぎるというもの。

ドイツだと、小学校卒業時点で、大体自分の将来を決めなくてはならないんですよね。将来なりたい職業によって、進学しておくべき学校も異なるから。

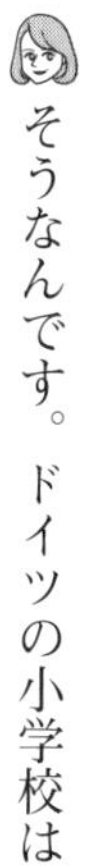

そうなんです。ドイツの小学校は「基礎学校（Grundschule）」と呼ばれており、一部の州を除いては4年制です。だから日本の小学校の5年生に上がる時点で、次の中等学校を選ばなくてはならない。その選択肢が、大きく分けて3つあるんです。

一番目が将来的に大学進学を目指す総合学校としての「ギムナジウム（Gymnasium）」、二番目が看護師や銀行員といった職業を目指す実科学校「レアールシューレ（Realschule）」、三番目が自動車整備工や実技系の職人を目指す基幹学校「ハウプトシューレ（Hauptschule）」（P76）です。

基本的に大学進学のための試験「アビトゥーア」を受けられるのは、ギムナジウムのみ。日本だと高校生の18歳で大学進学を選択できるのに対し、ドイツでは10歳くらいのときに決めなくてはならない。これは伝統的な階層社会の名残ともいえるシステムですが、実際的にそれはけっこう無茶なのでは……とは誰もがひそかに感じるところ。

だって、10歳程度で将来的な適性がすべて表面化しているとは思えませんからね。

結果的に、親の意向が大きく関与してくる。ありていに言えば、親が大卒なら自分の子をギムナジウムに進ませたがる。

もちろん、実業コースからギムナジウムに入り直すとか、途中での進路変更も可能です。でも

やっぱりそれは例外的な話で、基本的には階層的な学歴の固定化問題がいつまでもくすぶっている。さらに移民問題が絡んで深刻化している。移民家庭の子どもの進路決定は、親の出身国の家庭文化との葛藤や言語能力の問題もプラスされるから、かなり複雑化する。

ドイツには日本的な塾もないので、親が学校の宿題の面倒をある程度見るというか、ガイドしてあげるのが一般的です。カリキュラム的に学校側がそういう調整をしている。でも、ドイツ語が不得手な両親の家庭だとそのシステムについていけない。かといってあまり特別扱いするわけにもいかない、という問題が浮上します。

一方、日本の場合はどうでしょう?

小学校で将来を決めようとするドイツほどには目立ちませんが、似た構造が日本にもあります。高校受験でのバイアスですね。

いわゆる三者面談などですか。

そうです。高校受験は「失敗できない」という意識がすごく強いですよね。大都市圏では中学校の先生も「塾では何と言われていますか」と親に聞いてくる。もちろん学校の内申書も重視されますし、チャレンジするより無難に合格できる学校を勧めるケースの方が多い気がします。でも、高校で進学校に行くかどうかは大学受験に影響しますし、最近は芸術や農業、ＩＴ分野に力を入れるなど教育に特色をもつ高校もありますから、そういった要素への親の関心も高まっている。

でもそこには費用の高額化と教育格差の問題が出てきます。毎月何万円もかけて子どもを進学塾に通わせる世帯とそれができない世帯とでは、同じ土俵で語れませんよね。これは受験料や授業料、大学生活での一人暮らしの諸費用をどう賄（まかな）うかという話にも直結する。

その対処の一環として、世帯年収制限はあるものの、高校までの授業料の実質無償化が実現しましたよね。あれは良いことだと思うのですが、それでも埋めがたい格差が厳然と存在する、というのが実感です。

コロナ禍で、大学生の学費や生活費の問題がクローズアップされましたね。アルバイトができなくなったから、最悪の場合、大学をやめなくてはならなくなるとか。大学はもちろんですが、日本の場合、塾も私立校も高額ですよね。ドイツにはそのどちらも基本的にはなく、公立学校は小学校から大学まで無料です。つまり「医者になりたい」という希望を持ったとき、日独だとかなりの金額の差が出てくることになる。

日本だと、私立大学の医学部に進学する場合、トータルで数千万円単位で子どもの教育にお金がかかると聞いて仰天しました。子どもの頃から高額の塾に通い、中学から私立に進み、大学も一千万円単位でかかる。

純粋に疑問なんですけど、その制度で国は質の高い人材を確保できているのでしょうか。仮に、お金は全然ないけれども、資質や意欲があるという人間は、現段階のシステムでは、その道に進めないといったことが十分にあり得るわけですよね。

日本もようやく低所得の家庭の子も大学に進学できるようにしようという学費補助制度が始まりましたが、所得水準がかなり低くないと補助を受けられない。「やや厳しめの家計」程度では適用対象外。これでは意味がないと思います。こうした背景には、大学の学費をすべて無料にすると、その原資は税金ですから、「うちの子は大学に行かないのに、なぜ大学に行く他人の子の学費まで負担しなければならないのか」という潜在的な不満があると思います。「子どもたちは社会が育てる」という意識が希薄なのではないかと思うのですが、この点については、増田さんが詳しいよね。

フィンランドで学校教育の取材をしたときに、教育の目標が「よき納税者を育てること」と言われたときには目からウロコが落ちましたね。結局、国の将来を支えてくれるのは今の子どもたちなんだから、誰もが等しく教育を受け、社会に出てちゃんと収入を得られる仕事に就き、税金を納めてくれるような人材を育てることが一番だと考えているんです。だから、高い税金を納めて、教育費は無償で、平等の教育を実践できる。そこに納得感がある。

一方、日本人は、子どもを社会で育てるというよりも「うちの子だけは、人並みかそれ以上になってほしい。だから親ができる限りのお金も手もかける」という意識が強い。そんな考え方が「なぜ、私が払った税金で他人の子の学費を負担するのか」という発想になってしまうんだと思います。それでは教育格差はなくなりませんよね。

ドイツでの教育格差は、先ほど触れた移民系の家庭を軸に深刻化しています。また、ドイツ語が通じない生徒が多数派を占めたためにドイツ語での授業が成立しなくなり、学級崩壊に至ったりする問題も顕著です。特に大都市で発生しやすいのですが、そういった学校にドイツ人がわが子を進ませたがるかというと、やはり避けたがるんですよね。
　となると、ほかの区や別の土地に引っ越して「普通っぽいドイツ人」が多い学校に通わせようとする。だから子どもが小学校に上がる段階で、ベルリンとかでは急に引っ越しする家庭も多いようです。

まさに、私の初めてのドイツ取材が、そうした環境にある学校でした。労働者として移民してきたトルコ人やイラク人の二世、三世が多く住む地域で、教育困難校に指定されていました。でも、私が訪ねた学校では、ベルリン市が特別に予算をつけて、実験的な改革を始めていたんです。
　こういう学校では、従来の年齢別の授業は成り立ちにくい。だから、1年生から3年生までと、

4年生から6年生まで、3学年を混ぜて一つのクラスを編成し、一緒に勉強をさせるんです。年齢は関係なく、勉強ができる子が、ほかの子の手助けをする。年齢が下の子が、「勉強ができない」上の子を教えたりもしていました。

最初にその学校を訪問したのは2004年でしたが、2017年のドイツ総選挙取材のときに再訪しました。校長は当時と違う人でしたが、「あのやり方が定着しています。最近は、イスラム教徒の移民の先生も採用して、宗教的なことについても学校全体で理解を深めようとしています」とのことでした。

やはりお金も人も投入して、努力を積み重ねていけば、その学校に合った改革はできるんですよね。この学校の取り組みをモデル校として、ほかの地区の同じ問題を抱える学校にも展開しているという話でした。

それは興味深い例ですね。あとはやっぱり「教育」となると、ドイツもどうしてもスカンジナビア半島を見てしまうんですよ。

やはり北欧がモデルになるんですね。地理的にも近いし。

フィンランドを中心にスウェーデンの学校現場なども取材してきましたが、思うところは多々あります。そもそも一学級の人数も少ないし、平等の教育を目指すという意識も強い。自閉症をはじめ、精神的・肉体的に様々な障害のある子でも普通学級に参加できるよう、いろんなサポートが充実しています。

例えば私が取材したフィンランドの小学校では、全盲の女の子の入学を許可していました。特別支援のある学校にも行けますが、保護者が希望すれば地域の普通の学校にも入学できるんです。そのために学校は特別予算をとり、サポートスタッフを一人つけたり、その子のクラスをさらに半分の人数にして授業を行ったり、通常学級では難しい授業は、近くの特殊学校に通うなどの工夫をしながら、柔軟な対応をしていました。これはスウェーデンでも同じでしたね。

それに対し、日本の公立学校の対応は残念な状況です。平均的な児童のイメージをベースに「みんな一緒」が「公平」「平等」「良いこと」と信じているから、逆に異例なケースに対応した教育環境は整えられないし整えようとしない。事故をはじめ、何か問題が起きたらどうするんだ、という保身的な危惧が先に立ってしまいます。また、特別支援学級担当者は、本来なら普通より高い能力や知識が必要なのに、むしろ通常学級の運営ができないと見なされた先生が就くケースもあるんです。

日本でも、外国人が多く住む地域では、外国籍をルーツに持つ子が半分以上という学校もあります。そういう子どもたちと日本の子どもたちが一緒のクラスを担任として受け持ち、効果的な授業を進めていくには、スタンダードな授業ではなかなか難しい。ケースに応じた工夫が必要になってきますけど、それだけの実力を持った教師がどれだけいるでしょう。

もはや東京を中心に首都圏の学校では、クラスに肌や髪の色が違う子がいるのが当たり前になっているよね。子どもたちはそれを当たり前のこととして受け入れているのに、大人がついていけない。そんな気がします。

日独の「歴史教育」の違い

ドイツの教育というと、「歴史教育」が有名です。ナチス政権の反省から、歴史教育に力を入れ、過去を繰り返さない決意を持っているというもの。一方の日本の歴史教育は甘い、というような意見もあります。

たしかに、ドイツの学校では歴史教育を徹底して行います。単にナチス時代を学ぶだけでなく、「どうしてナチス政権が出てきてしまったのか」というそもそも論にさかのぼる。第一次世界大戦と敗戦、戦後賠償のことも学ばなくてはならないし、そうなるとその前に何があったのかを知る必要も出てきます。

だけどその一方で、歴史教育に力を入れすぎて、イヤになってしまう学生もいるんですよ。端的に言えば、「ナチスドイツを悔いる」のに飽きた。「また強制収容所に行くの？」とうんざりしてしまうような人もいる。自分が生まれるはるか以前のことなのに、パーティでポーランド人に会ったら、とりあえず「すみません」みたいな態度をしなくてはならないとか。あんなに徹底的に教育してきたはずなのに、意外と「ヒトラー」以外のキーパーソンの名前が全然出てこない人が多いとか。

日本でも、太平洋戦争の戦犯というと、東条英機の名前しか出てこなかったりしますよね。

日本でも、もし歴史教育をしっかりしようと思ったら、太平洋戦争についてはもちろん、それ以前の歴史にもさかのぼらなくてはならないから、結構ハードルは高くなりますよね。

日中戦争にさかのぼり、さらに日清、日露戦争も知らなくてはなりません。

そうなると、明治政府の理解まで行きつかなくてはいけない。
ちなみに日本の学校で、太平洋戦争時代に何があったかということは、授業で集中的に学びますか。

いや……実際、そこに行きつく前に、大抵時間切れですね。第一次世界大戦までやって、「あとは教科書を読んでおいてね」になりがちです。

そうですね。日本史でも世界史でも、教科書の最初のページから丁寧にやっていたのでは、到底そこまで行きつかない。世界史の教科書でも、通史を網羅しているのが世界史B。世界史Aは近現代史が中心で、こちらを使えば戦争の歴史も時間的には十分に学ぶことができますが、それでも教える側の意識がなければ通り一遍になりがちですよね。何年に何の事件があってという事象を、ただ言葉で教えるだけで精一杯。

教師の力量からみても、あの時代を突っ込んで話せる教師がどれだけいるのでしょう。戦争経験者なんて現場には皆無ですし、世代的に若い先生も増えているので、そもそも戦争のことを学んできていない、よく知らない教師もたくさんいます。それこそ下手なことを言って、保護者からクレームが来ても困る、教師として問題視されると面倒なので、できるだけサラリと触れて無難に終えたいというのが、多くの教師の本音ではないでしょうか。

2022年の教科書改訂から、高校の歴史の授業が変わります。主に近現代史を学ぶ世界史A、日本史Aを融合して、「歴史総合」の科目になります。

一昔前の90年代に、「これからの時代はグローバル化だから、世界の歴史を知らなくてはならない」ということで、世界史を必修にした経緯があります。

ところがいざグローバル化して世界に出てみると、今度は海外の人と会ったときに、日本人が肝心の自国の歴史を知らないという事実に愕然としてしまった。それで、やはり日本史も知っておかなくてはということで、「歴史総合」の科目にリニューアルすることになったんです。

興味深いです。私も日本の学校で、歴史の授業が2つあることには驚きました。

私も初めてスウェーデンの高校に取材に行ったときに、「何の科目の先生ですか」と聞かれて、「日本史と世界史です」と答えたら、すごく驚かれました。「歴史は一つじゃないんですか?」と。

その点、ヨーロッパって、自国の歴史を語ろうとすると、必ず周辺の国々が登場するから、一つの「歴史」でも通用するからいいですよね。だけど、日本は島国でずっと鎖国もしてきたから、なかなか世界の歴史に関わらない。だから、日本の歴史と世界の歴史を学んでいくという発想になったわけです。

ドイツの「歴史」授業では、そもそも共和制ローマから現代に至るまでの連続性を、諸外国との関係性含みで語ることができる。その意味では包括的と言えるのですが、弱い部分があるとすれば、やはりアジア・アフリカなんですよ。ヨーロッパ中心史観の弊害と言ってしまえばそれまでですが。

日本に来て、「日本のこの歴史を学んでいないの？」と聞かれることがあるんですけど、申し訳ない……残念ながら、日本ってヨーロッパの歴史的観点になかなか登場しない。一気に日本がクローズアップされるのが、日独伊三国同盟あたりからなので。

私自身、学校で歴史を教えるようになって初めて「実は自分が深く教えられない」ということに気づいた人間です。やっぱり、自分が教わってきた内容、教わってきたやり方以上の発想は、なかなか出てこないんですよね。自分が記憶重視の授業を受けてきたのに、いきなり教師になったからと言って、生徒の議論を引き出して理解を深めるような授業ができるようにはならない。

私の場合、たまたま教員の仕事の3年目から、同時にNHKでリポーターの仕事をするようになったので、学校以外の社会を見る経験を積み、自分なりの世界の見方や考え方を徐々に身につけることができました。でも、大学を卒業しただけの新米教師のままだったら、続けていくのは難しかったでしょうね。

日本でも、活発な議論をしながら学んでいく「アクティブ・ラーニング」なるものがスタートすると聞きましたが。

日本語で「主体的で深い学び」という言い方になりました。すでに始まっています。

言葉は変わりましたけど、これって要は「総合的な学習の時間」と同じコンセプトですよね。でも、横文字にされると、何だか新しい、難しい取り組みのようにも思える（苦笑）。ですから、現場の先生方も戦々恐々としているようです。正直なところ、実りの多い実践ができるか否かは教師の力量次第、ということになるのではないでしょうか。

イスラエルにもいる「戦争を知らない子どもたち」

いろんな学び方があっていいと思います。でも、やはり歴史教育って大切だなと思うんです。私の世代までは、かろうじて祖父母が戦争を体験している世代なので、当時の話を耳にする機会もありますが、私の下の世代になると、本当にそういった記憶からは遠のいてしまう。どうしても知識媒体や学校で学ぶ必要があると思うんですね。

旧東ドイツと西ドイツでは、歴史教育の方法に差もありました。西ドイツはマライさんがおっしゃったように、「ナチスドイツを繰り返さないように」という意識で学校教育もなされてきた。ところが旧東ドイツでは、「第二次世界大戦はヒトラーという極悪人と、一部の資本家が起こしたもの」という歴史認識で通してしまった。「君たち一般の労働者階級は、その資本家たちの被害者だ」というように。

「我々はナチスを土台とする国ではない、まったく新しい国家」というスタンスでしたからね。

そういう建前の陰で、旧東ドイツにはむしろナチ的な極右団体がかなりたくさん潜んでいた、という事実が最近の研究で出てきて、話題になっていました。

ナチスの系統をひく政党が、旧東ドイツでは堂々と認められていましたからね。

その一事を見ても、たった数年、数十年で、歴史はさっさと忘れ去られる、あるいは捻じ曲げられるということがわかります。

似たようなことを、2019年に訪れたイスラエルの取材で感じました。驚くべきことにイスラエルの若者たちの多くが、パレスチナ人のことを知らないんですよ。自分たちの国家がパレスチナに何をしてきたのか。どうしてイスラエルという国が、今ここにあるのか、その成り立ちや経緯といった歴史を知らない若者が増えているんです。

驚いたな。日本だけでなく「戦争を知らない子どもたち」がイスラエルにもいるんだね。

第二次世界大戦後、ユダヤ人がこの地にイスラエルを建国し、アラブ系の人々が故郷を失い、難民となりました。このうち多くのアラブ人が逃げ込んだヨルダン川西岸地区とガザ地区にはパレスチナ自治区がつくられ、自治が認められるようになったけど、自由のない生活を強いられている。

でも、そういった経緯を知らずに、なぜだかすぐ隣にいて、自分たちの悪口ばかりを言っている、たまにテロを仕掛けてくる悪い奴ら、という認識なのかな。パレスチナを囲む壁もできてしまったから、ますます自分たちの空間とは遮断されてしまっているからね。

そうなんです。特に若い大学生たちは、お互いに遮断された状況で成長してきていますから、知る機会もないし、知ろうとしなくても実生活に大きな影響はなかったんです。

でも、一方では、こうした現状に危機感を持つ人もちゃんといて、ヘブライ大学の先生は、大学生に自分たちとパレスチナの歴史を知るための調査という実践的な指導に取り組んでいました。

あとは、イスラエルの人たちが公教育に大きな不満を持っていたのが印象的です。一斉授業ばかりで、ちゃんと考えさせる授業をしていない。それこそパレスチナとの問題なども表面をサラッと流すだけの授業に終始しているとか。だから、そもそも教育熱心なイスラエルでは、私立とはまた違う公的な学校だけど、デモクラティックスクールという名前の学校が人気という話でした。アメリカのフリースクールがモデルになっている学校で、学ぶ内容も時間割も自分が好きなように決められる、自主性を重んじる学校です。この学校の卒業生にも会いましたが、国際的な人道支援を行うNGOの活動に取り組んでいました。こうした学校ではグローバルな人材も育っている。やはり教育の影響は大きいですよね。

2015年にドイツで作られた『帰ってきたヒトラー』(監督:デヴィッド・ヴェンド)という映画があります。同名の小説(ティムール・ヴェルメシュ作・河出書房新社)の映画化ですが、ドイツで大ヒットしました。ストーリーとしては、敗戦間近のドイツから、ヒトラーが現代にタイムスリップしてくるというもの。ヒトラー的な言動も見た目も現代のドイツではタブーなので、最初はかなり怪しいヤツ扱いですが、どんどんメディアに取り上げられ、ドイツ国内で人気を博していく、というストーリー。

興味深い点の一つとして、台本・予告なしのゲリラ的な電撃ロケを敢行しているんですね。ヒトラー役の特殊メイク(めちゃくちゃリアル)をした俳優が、ドイツ中を行脚(あんぎゃ)する。最初はなりきりヒトラーの登場に驚いたり、茶化したり、嫌悪感を示す人々の様子が映っているんですけど、だんだんと人々の本音がこぼれ出てくる。「ヒトラー」が街角のホットドッグ売りのおばちゃんとかに「最近どうよ」と聞くと、「本当に、今でこそあなたみたいな人が必要だ」とか、「外国人が自分たちの仕事を奪っちゃってて」とか……。

本当にドキッとするよね。でも、ドイツ人的にはそれほど意外でもなかった？

そうですね。もちろんみんな口にはしないけれども、そういう人たちが存在しているというのはわかっていましたから。結構、根深いんですよ。「ナチス政権、ああは言っても全部悪かったわけではない」という理論。アウトバーンつくってくれたし、みんなのための保険をつくってくれたし、国民車つくってくれたし……と。

だから、あの映画の衝撃は大きかったんです。ヒトラーは過去のものと思い込んでいるけれど、現代に再びアドルフ・ヒトラーが現れたら、人は一体どういう行動をとるのか。意外と無防備で、簡単に熱狂してしまうだろうという心理的実相を、ブラックユーモアで包んで妙にリアルに暴いた映画だったから。

だから、外から見ると、ドイツ人はものすごく立派な歴史教育をして、しっかりガードしているように見えるかもしれませんけど、なんと実質的にユルユルだったりする。自分が相当マズい考え方を持っているということ自体、気づいていない人が相当数いる。そもそも「ナチ糾弾・反省」の教育カリキュラムの中身が、時代の流れにマッチせず教条化、形骸化している。

そういう意味でドイツの「歴史教育」は、一つの転換点に来ているのかもしれません。あらためて、若い世代にどういう風に教育をしていけばいいのか。これからいろいろな議論が出てくるだろうと思います。

私たちはつい、「日本に比べてドイツの歴史教育は優れている……」と評価したがる。確かにそういう面もあるだろうけど、だからといって、それで理想的な人間が生まれている、というわけではないんだね。そのことを知った上で、ではどうするのか、ということを考えていかなければならない。難しいね。

否定されるような歴史であったとしても、その時代を生きた人たちにとってはそうではなかったかもしれない。それは自分自身を否定することにもなりますよね。ヒトラーの時代を生きた親とその子世代の葛藤なども、実際にインタビューをしてみると、私が勝手に思い描いていたドイツ人像とは大きな隔たりがあった、ということにも気付きました。そんなことも、この後お話ししていきたいと思います。

第4章

作業台で鯖を加工する外国人技能実習生ら
2017年3月6日

写真：読売新聞／アフロ

社会保障を考える
——人は何を頼りに生きるのか？

4-1 日本とドイツの社会保障のあり方

●パンデミックで見せた
日独の首相の
メッセージの違い

●少子化対策に有効な
手立てが見えていない

●「生活保護バッシング」
に見るように、
社会的弱者を福祉で救おう
という意欲が薄い？

●外国人留学生
という名の移民。
技能実習生待遇の実態

●ひきこもりや不登校、
「8050問題」

●日本は
アメリカ型「資本主義」と
ドイツ型の中間

Japan

■「アートは
生きるために必要不可欠だ」
というメッセージ

■出産費用ゼロや、
男性の育休取得率
アップなど、
地道な努力

■シングルマザーや
貧困家庭の子ども支援など、
社会からドロップアウトを
出さない努力

■半世紀前から
労働力として
移民の受け入れ

■ドイツでは
子どもが小学校に行かないと
警察が介入

■歴史的に
社会主義的福祉政策の
流れがある

Deutschland

4-2 日本とドイツの社会保障の現状

育児休業・給付制度等の比較

厚生労働省 HP より引用

	日本	ドイツ	スウェーデン
対象となる子の年齢上限	満1歳まで（最長で満2歳まで）	満3歳まで（うち24カ月は満8歳まで繰り延べ可能）	満4歳まで（うち96日は12歳まで繰り延べ可能）
取得可能期間	両親それぞれ1年間（最長で2年間）	両親それぞれ3年間	両親あわせて480日（1歳半までは給付の有無にかかわらず休業可）
休業中の所得保障	両親それぞれ ・当初6カ月は給付率67%（上限額は月額30万5,721円）【非課税のため、実質8割】 ・7カ月以降は給付率50%（上限額は月額22万8,150円）	両親合わせて12カ月間、給付率は手取り比原則67%（上限は月額1,800ユーロ〈約22万5000円〉）【非課税】	390日間は8割（上限は日額1,006クローナ〈約12,000円〉）、残り90日間は日額180クローナ（約2,200円）【課税】
分割取得の可否	なし	3回まで分割可	年3回まで分割可
父親の育児休業取得促進策	両親が休業する等の要件を満たせば、満1歳2カ月前まで延長される（パパ・ママ育休プラス）	両親がそれぞれ2カ月間以上休業すれば、給付期間が2カ月分延長される	父親又は母親の片方のみが休業できる期間が、それぞれ90日間ずつある（クォータ制）
父親休暇	なし ※産後8週間以内に育児休業をした場合、再度育児休業取得を可能とする特例（パパ休暇）あり	なし	母親の出産退院後60日以内に10日間休業が可能（8割支給）【課税】

（出典）労働政策研究・研修機構「諸外国における育児休業制度等、仕事と育児の両立支援にかかる諸政策」(2018年3月)、国立国会図書館「男性の育児休業の取得促進に関する施策の国際比較―日・米・英・独・仏・スウェーデン・ノルウェー―」(2017年9月) GOV.UK「Shared Parental Leave and Pay」(https://www.gov.uk/shared-parental-leave-and-pay)、GOV.UK「Paternity pay and leave」(https://www.gov.uk/paternity-pay-leave) Service-Public.fr「Conge de 3 jours pour naissance ou pour adoption dans le secteur prive」(https://www.service-public.fr/particuliers/vosdroits/F2266) Service-Public.fr「Prestation partagee d'education de l'enfant (PreParE)」(https://www.service-public.fr/particuliers/vosdroits/F32485) 等
（注）金額は、1ユーロ=125円、1ポンド=139円、1クローナ=12円(2020年10月)で換算

BUSINESS INSIDERより引用
出所）該当期間に生まれた子のうち、父親が育児休業を取得した場合（2006年のみ、父親のうち育児休業を取得した人の割合）／出所）連邦家族白書 2017

6歳未満の子どもを持つ夫婦の育児・家事関連時間の国際比較

（備考）

1. 総務省「社会生活基本調査」（平成28年）,Bureau of Labor Statistics of the U.S."American Time Use Survev"(2016)及び Eurostar "How Europeans Spend Their Time Everyday Life of Woman and Men"(2004)より作成。
2. 日本の値は、「夫婦と子供の世帯」に限定した夫と妻の1日当たりの「家事」、「介護・看護」、「育児」及び「買い物」の合計時（週全体平均）。

内閣府男女雇用参画局 HP より引用

日本とドイツの児童手当

日本	ドイツ
所得制限　あり	所得制限　なし
対象　15歳になった年度末まで	対象　18歳未満（教育・職業訓練期間中の場合は25歳まで）
0～3歳未満　一律1万5000円 3歳～小学校修了前まで 第1子、第2子　一律1万円 第3子以降　1万5000円 中学生　一律1万円 所得制限限度額以上　一律5,000円（特例給付） 2022年10月より、夫婦どちらかの年収が1200万円以上の場合、特例給付は廃止	1カ月当たり　第1子から第2子までの家庭には219ユーロ（約2.8万円）、第3子は225ユーロ（約2.9万円）、第4子以降では第4子250ユーロ（約3.3万円）が支給される。 なお、児童扶養控除制度も存在し、いずれか有利な方が適用される仕組みとなっている。

新型コロナウイルスと市民の生活

新型コロナウイルスによるパンデミックで、世界の指導者の姿を目にする機会が増えました。ドイツのメルケル首相についても、さすがだなと感心するシーンがいくつもありました。特に最初のロックダウンの際、アーティストや個人事業主、フリーランサーなどにもちゃんと補助金を出すことを明確に打ち出しました。あれはすごいなと思いましたね。

ドイツに住んでいる外国人でも、ちゃんと税金を納めている納税証明書さえあれば、すぐにお金を振り込んでもらえていました。日本円にして50万円とか100万円とか。見事でしたよね。本当に遍（あまね）く市民を守ろうとしていました。

ドイツの文化相がはっきりと言いましたね。「アーティストは、生命維持に必要不可欠な存在」

だと。

言っていましたね。あれは数あるスピーチの中でも、かなり感銘度の高いものでした。ただドイツ社会では、芸術家を支援するという姿勢が政治家など「上流」のステイタスとなる面があり、それがあのような施策の背景になっているとも思います。

日本だと、文化芸術、芸能は、どうしても「不要不急」の方に入りがちです。そこのあたりの考え方の土台が、だいぶ違うんだなと感じました。

並行して、教会のミサをめぐる議論があったんです。会衆は一応ソーシャルディスタンスを維持して歌は禁止でしたけど、ある有名な討論番組で質問が投げかけられたんです。「教会ならば、密も許されるのか」と。

それに対して、ドイツの「基本法」(日本で言うところの憲法に近い存在)をベースに、「基本法では、宗教は特別なものとして守られている。宗教を心の拠りどころにして生きている人たちがいるから、そこは大切にしなければ」という反論が寄せられました。そこで、同席していたアーティストが付け加えたのです。「ならばコンサートだって、人が生きるために必要なものですよ」と。

これに反論する人はいませんでした。宗教や芸術は「生きるために必須」という共通認識がある程度確保されているらしいことに、個人的にはちょっと安心しました。

2021年のコロナ対応での緊急事態宣言下、東京都内の4つの寄席(よせ)では「大衆娯楽である『寄席』は、この『社会生活の維持に必要なもの』に該当するという判断から、4月25日以降も通常通り営業することといたしました」と告知して営業を続けようとしましたが、結局、東京都や政治家たちから強い要請を受けて休業しました。

同年5月の連休明けも緊急事態宣言が延長されましたが、11日からは営業を再開しました。「社会生活の維持に必要なもの」という宣言は感動的でした。でも、連休明け以降も東京都内の規模の大きな映画館は休業を続けました。マスクして黙ってスクリーンを見ていれば感染拡大のリスクは少ないのにと思ってしまうんだけど。映画ファンの中には、休業していない神奈川県の映画館に足を運んだ人もいたらしい。どうも政府や東京都の対応はチグハグだね。

まったく理解に苦しみます。映画館などが加盟している全国興行生活衛生同業組合連合会(全興連)が東京都に対し、休業要請を受けたことについての説明を求めたところ、「人流を抑えるための総合的判断」という返答だったというのだから呆れます。隣の神奈川県に人流を発生させてしまっているのに。

働く男性の約4割が育児休暇をとるための秘訣

ドイツでは社会福祉が日本よりも手厚い、という印象を受けますが、実際に日本に住まわれていかがですか。

日本とドイツでは、法制度的に似ている面が多いです。だけど社会福祉の面だけは、ドイツとだいぶ考え方が違うのかなと感じます。

例えば日本では赤ちゃんを産む際、健康保険などから出産育児一時金42万円の補助金が出ますが、定期健診や出産費用などで、実質的にかなりの持ち出しが発生しますよね。

その点、ドイツは出産費用が無料なんです。怪我や病気のときと同じように、健康保険で100%カバーされている。だから出産にお金がかかるってどういうこと？　と驚きました。

とはいえ、ドイツにもいろいろ課題はあります。子育て話の続きでいえば、どうしてもこの分野は女性の方に負担がいってしまうんですよね。特に子どもが幼い頃は子育てや家事に奔走しがちだし、女性のキャリアもそこで途絶えがちです。だから、ここ最近ずっと、育児休暇やそれにまつわる手当の制度部分を政府がいじっている感じです。

日本にもドイツにも育休制度はあります。日本の場合は、育児休業開始前2年の間に12カ月以上雇用保険に加入していることなどを条件に基本的に最初の半年間は給与の67％、その後は50％が支払われるけれども、2年目からは、保育所に預けられない場合などを除いて、育児休業給付金を受け取ることができません。ドイツではどうなんですか。

似たような感じですね。そもそも課題として、男性の育休取得率の向上がありました。日本と同様ドイツでも、女性は育休をとるけれど、男性はなかなかとってくれない。それで国が制度を再調整し、新しい制度では、女性一人が育休を取得するよりも、パートナーも一緒に育休を取得する方が有利になるようにしたんです。一人だけの場合は最長12カ月間、給与の67％が国によって支給される仕組みだったけど、パートナーも育休を取得した場合、その期間をさらに2カ月間延長できる。仮に2人同時にとる場合は、それぞれが7カ月分育休を取得できる。受給額を半額にするなら、さらにその期間を延ばせるなど、いろいろ家庭の事情に応じて柔軟に対応できるようにしたんです。

基本的にドイツ人は「お得」感が大好きですからね。これで一気に男性の育休取得者は増加して、現在働く男性の約4割が、育児休暇を取得するようになったんです（P１３４）。最近のドイツの若者や大学生に聞いてみると、「将来、育休をとるよ」と普通に話している子も多いので、将来的にはその割合はもっと増えるだろうなと。

やっぱり制度って、用意しても、多くの人に利用してもらえなければ意味がない。人の心理をうまくつかんで「お得なシステム」感を演出するのも大切ですね。
でも日本だと、制度として存在しても、どうしても男性が「育休」をとることに対して社会的な目が関係してくる気がします。

小泉進次郎環境大臣が「2週間の育休をとる」と宣言して話題になりました。大臣が育休をとるということがニュースになること自体、日本が遅れている証拠だけど、これから子育てに取り組むという若い世代の大臣がいなかったから、そもそもこれまで問題にならなかったんでしょうね。もっと若い大臣がどんどん誕生すれば、育休をとるのは当たり前、となるんじゃないかな。ただ、小泉大臣の宣言はイクメンをアピールする政治的なにおいを感じてしまうんだけど（笑）。

育休期間も2週間と短いから、パフォーマンスのようにも見えてしまったのでは……。それでも、批判の声ばかりが大きく聞こえてくる中、実行したこと自体は評価できると思いますよ。
２０１８年にニュージーランドのアーダーン首相が、現職であるにもかかわらず6週間の産休をとりました。ニュージーランドといえば、１８９３年に世界で初めて女性参政権を認めた国でもありますよね。産休時も、自宅で執務をこなしながら重要な決定事項についての判断をしてきたそうですし、子連れで国連総会に出席した姿も世界各国で報道されました。働きながら出産、育児をするのは、世の女性たちがこれまでもやってきたこと、というアーダーン首相の姿勢は、世界中の女性たちの共感を得たのではないかと思います。

日本では「女性活躍推進法」という法律がつくられましたよね。これも謎が多い気がします。

ある一定規模以上の会社だと、女性の活躍推進について自ら目標を決める義務が生じたという法律のようですが、何かルールを定めたのではなく、「考える」ことを義務付けた点について不思議さを感じました。

ええ、私も同感です。日本は、2016年4月「女性の職業生活における活躍の推進に関する法律」（以下、女性活躍推進法）という10年間の時限立法を施行しました。労働環境の整備を企業に義務付け、女性が働きやすい社会の実現を目的としたわけですが、実態を見るとなかなか進んでいないようです。

例えば2021年の世界経済フォーラムの男女格差リポートによると、日本の女性は家事などの無償労働に費やす時間が、男性の4倍に達すると報告されています。炊事や洗濯、掃除のような「見える家事」以外に、洗剤やシャンプーなどを補充することだって「見えない家事」の一つで、それらが日々積み重なっていくと負担は増えるばかりだという女性の嘆きをよく聞きます。でも、それを当たり前のようにこなし、育児もしながらフルタイムで働いて、税金もしっかり納めてほしいと言われても、スーパーウーマンじゃないんだからムリ！　と叫びたくもなりますよね。

仕事しかしてこなかった私が言っても説得力がないかもしれないけれど（苦笑）、「女性が輝く社会」とか「女性が活躍する社会」っていったい何？　何を目指しているの？　と言いたくもなるよね。

これは本当に個人的な実感でもありますが、例えば食事の後片付けだけでも手伝うとか、洗濯物をたたんでしまうとか、そんな些細なこと一つでも手伝ってもらえると、家事の負担は軽減されるんです。

日々の小さな積み重ねが大事。それが社会を変えていく第一歩だということなんだね。肝に銘じておきます。

「生活保護」の前に、いくつもの救済措置がある

ドイツは日本と同じく少子高齢化問題に直面しています。その労働力不足を移民の力で乗り切ろうと一時期、力を入れていました。

移民労働者、「ガストアルバイター（Gastarbeiter）」の話ですね。「ガスト（Gast）」、つまり「ゲスト」「お客さん」と呼んだくらいですから、ドイツに来て一定期間働いていただいて、将来的

には自国に帰ってもらうはずだった外国人労働者のことです。

そのはずだったけど、実際には帰ってもらえなかったという……。

政府の見込み違いでした。でも、そりゃ住み着きますよね。仕事があって、治安も教育もいい。特に子どもがいたら、そのまま家族で住み着きますよ。

最初はトルコ系でしたよね。50年代後半くらいから、積極的に受け入れてきました。

トルコとイタリア、ギリシャなどですね。その結果、たしかにドイツの経済は成長したけれど、そのツケが数十年後にやってきました。「いずれ母国に帰るんだから」と、ドイツ語教育などに本腰を入れないまま二世、三世が生まれていった。先ほど教育問題の話で述べたように、ドイツにいながらドイツ語が喋れない人々が大勢生まれたんです。

外国出身の労働者たちは、その地域で独自のコミュニティを形成します。ドイツ語ができなくても日常会話さえできれば、コミュニティ内の母国語でなんとか生活できてしまうんですね。

子どもたちは地元の幼稚園にも行かず、お母さんと一緒に家で生活し、小学校入学という段階になって初めて、ほとんどドイツ語が話せないという状況に直面する。

そうです。先ほどは教育問題の面から議論しましたが、この背景にある家計の事情も無視できません。率直な話、親が仕事もせずに子どもたちの児童手当で生活している家庭もたくさんありましたよ。ドイツは社会保障が充実しているから、子どもが大勢いるとそれが「稼ぎの源泉」になってしまう。4～5人の子どもがいれば、毎月十数万円ほどの児童手当が入ってくる。

トルコと言っても広く、イスタンブールなど大都市での生活はけっこう豊かです。だけど地方出身者の場合、外国に出稼ぎに行かざるを得なくなるケースも多いし、地域や家庭に昔ながらの価値観が残っていがちなこともあり、異国生活ではとかくギクシャクしがちです。さらに多産文化でもある。そういう家庭は、ドイツでも子だくさんになる傾向が強い。

ドイツの場合、「子どもがいる家庭にはきちんとした環境をつくらなければ」という観点から、いろいろお金を受給する権利が生じます。子どもが生まれたら、まず「両親手当（Elterngeld）」を受給できます。日本と同じく「児童手当（Kindergeld）」もあります。しかも日本より受給期間も金額も手厚いんですよ。子どもが18歳になるまでもらえるし、その後も子どもが進学などした場合、25歳まで受給できる。金額はだいたい一人当たりひと月200ユーロ強。子どもが複数になれば若干加算されます。だから子どもが5人もいれば、ひと月1100ユーロ以上、日本円にして14万円以上もらえるんですね。これが、増田さんがご覧になった状況のベースとなる施策なんです……。

そんなに!! 何だか、うらやましい話ですね。日本では児童手当を減らす方向にあります。例えば中学生以下の子どもを対象とした児童手当の場合、高所得世帯向けの「特例給付」について、年収1200万円以上の世帯への支給を廃止することになりました。この改正児童手当法は、2022年10月支給分から適用されます。浮いた財源は、新たに保育所を整備するなど待機児童の解消に充てるとしています。所得の多い世帯は、児童手当がなくとも子育てには困らない、という発想なのでしょう。確かにそうなのかもしれませんし、限りある予算を少しでも多く配分したい、と考えたら、ある意味合理的な判断なのかもしれません。

ドイツは、児童手当の支給に際し、所得制限はあるのですか?

それはないです。ドイツの法律は親の経済的な状況ではなく、子どもの福祉を第一に考えるように設計されているんです。だから、すべての子どもに同じ額が割り当てられる。ちなみにドイツでは、進学した18歳以上の子どもでも親が養う義務があって、その義務を果たさない場合、子どもが直接自分の口座に手当が振り込まれるように申請できます。親ではなく、子どものためのお金ですから。

そもそも「社会で子どもを育てる」ということを前提に考えた場合、日本の制度設計はどうなのかという疑問が個人的に残ります。家庭環境や経済状況がどんな条件であっても、子どもが等しく教育を受けられ、健全に育っていくことができる環境を整える。そう考えたら、理念としては、児童手当の金額は一律であるべきだと思うんですよね。

以前、フィンランドの保育所を取材したとき、保育料が実質的に無料になるのは、子どもを保育所に入れると児童手当がそのまま保育所に支払われるからだと聞きました。なので、例えば1人目を保育所に入れていたけれど、2人目が生まれて母親が産休・育休で自宅にいるので上の子も自宅で過ごすようになった、という場合には、児童手当が今度は家庭に振り込まれるそうです。

ドイツでは、所得の低い、例えばひとり親世帯への支援などはどうなっていますか。

わりと手厚いですね。ひとり親の場合は出産時にベビーセットももらえますし、仮に離婚相手が養育費拒否をした場合、国が代わりに支払ってくれます。失業中や低収入で家賃や健康保険料が払えないケースでも、国が代わりに払ってくれます。

これはオプションですけど、例えば「子どもに人並みに習い事をさせたいけれども、収入が少なすぎてできない」という場合、習い事のクーポン券が発行されたりもするんです。これは国ではなく住んでいる自治体単位ですけど、水泳教室とかバイオリン教室とかに通わせることができる。学校の修学旅行代も同様です。

日本では親の経済格差が子どもの学力格差につながっているというデータがあります。実は私の学生時代も「東大生の親の所得は、他の大学生の親の所得より高い」と言われていました。
もちろん東大生の中にも苦学生はいますが、総じて「恵まれた家庭のお坊ちゃん、お嬢ちゃん」という印象があります。例えば東工大には「家族の中で初めて四年制大学に進学した」という学生を対象にした奨学金制度があるんです。個々の大学にも努力してほしいけど、結局は幼稚園や保育所から高校まで学費を無料にしていく取り組みがもっと必要だよね。
それに日本の「奨学金」の中には、後に返済しなければならないものがあります。これは、国際水準で言えば「学資ローン」であって、奨学金とは言えませんよね。

変な表現ですけど、ドイツでは「ホームレスになる必要がない」んです。つまり、路上生活や、ファイナルステージとしての「生活保護」の手前に、いろんな階層で救済措置があるから。ましてや貧困を子どもの人生にまで及ばせたくないという、社会全体での合意ができているんです。もちろん、それでも路上生活している人はそれなりにいますが。

日本でも、生活保護になる前の救済措置が2015年にできました。「生活困窮者自立支援制度」です。働く意思がある人を対象に、一時的に支援して自立を促すための制度ですね。生活に困っていて生活保護に助けを求めることになりそうな人や、生活保護から抜け出した人などが利用できるように、というものです。相談窓口は、市区町村に設置された福祉事務所になりますが、意外に知られていないですね。

こういった社会保障について話すとき、私のようなドイツ人が常に意識してしまうのは、やはり「義務」と「権利」の関係性です。ドイツでは高い税金を払う「義務」もしっかり発生しますが、同時に、いざとなったら様々な手当てを受給できる「権利」もあると考えます。だから、そのあたりをしっかり調べた上でもらえる手当をしっかりもらっている人に対しては、ちゃんと評価するようなところがあります。「権利に関する義務をちゃんと履行した」みたいな、というとアレですけど（笑）。

もちろん中には、意図してかどうかは別として、先ほど挙げられたような「金づる」的に子どもをたくさん産むような人もいて、当然それなりに白い目で見られるのですが、日本の「生活保護受給者」に対する飽和攻撃的バッシングみたいな状況は、ドイツでは起きないですね。

日本のどこかの自治体でありましたね、「生活保護なめんな」と書かれたジャケットを羽織って職員が働いていたという。そしてネットが過度にザワつく。そういう現象は、何かの限界点が来ているサインであるようにも感じられる。

あと、生活が苦しいシングルマザーが育児放棄して赤ちゃんを死なせてしまった、的な痛ましいニュース。本当につらい。だって、想像できるんです。働きながら自分ひとりで子どもを育てて、でも生活がカツカツすぎて人生がつらすぎる。もう子どもなんていない方が、自由に自分の人生をリセットできる、楽に生きられると、無意識に子どもの存在を頭から消してしまうというような現象って、あると思うんです。
　もちろんドイツにも虐待はあって、それはそれで結構ひどい。でも、日本のように経済的に苦しくて、社会からの救いの手がなくて虐待をしてしまう、放置をしてしまう、というケースはほとんど聞きません。日本も、もうちょっと社会的な救済システムがあれば救われる命って多いんじゃないかと思ったりします。

生活保護でいえば、本当に必要な人が受けようとしなかったりする問題がある一方で、親から子へ当然のごとく生活保護を受けて生活することが引き継がれている場合もあります。以前、東京の公立高校の先生と話をしたとき、「高3の生徒で、経済状況が厳しいから進学しない、という子が何人かいるんだけれど、就職する気もない。『どうするつもり?』と聞くと『とりあえず、生活保護受けます』と。『親も受けてるんで』で、おしまい。どう説得して就職試験を受けさせるか、頭が痛い」と悩んでいましたね。

そういうケースはドイツにもあるようです。生活保護を身近なものとして認識すれば、一種の「問題解決」に感じられてしまう。結局、そこでいかに生活保護受給者の社会的なステップアップを支援するか、ということでしょうか。

そうかもしれないな、って、その話を聞いたときに思いました。もちろん「生活保護なめんな」なんて言い方や、やり方はダメに決まってますよ。

どうも、日本の場合は両極端なケースが目立つ気がします。

お金は個人で何とかするもの、という考え方が根強いので、社会保障のシステムを理解できていなかったり、教育費は個人負担が当然だったり。「4つのポケット」なんていう言われ方もしますが、両親なり祖父母なりが少なくなった子や孫にお金をつぎ込むみたいな状況が生まれていますよね。

やっぱり日本の場合、「社会が子育てをする」という観点の弱さが、いろいろな問題の根底にある気がしますね……。

令和2年度から、子育て支援のNPOが行政と手を組んで、保育所に「保育ソーシャルワーカー」を送り込んで、親子のSOSにいち早く気づき、適切に関わることで問題を未然に防ぐという「保育ソーシャルワーク」の取り組みも始まっています。初年度は全国でたった4カ所の自治体だったそうですが、NPOではこれを全国に展開していきたいと意気込んでいます。

とにかく、「貧困を子どもの人生にまで及ばせないという、社会全体での合意ができている」というドイツの話は、何ともうらやましい限りです。日本でも、子どもを社会で育てる、子育ては社会で支える、という意識がもう少し持てるようになれば、状況もいい方向に変わっていくのではないかと思うんですけれどね。

日本の「技能実習生」制度の致命的欠陥

移民系の話といえば、日本はこれまで表立って外国人を受け入れてきませんでした。限られた分野の高学歴専門職以外は。でも、ある時期から、急にコンビニや居酒屋などで外国人店員が増えました。

思い出すのは早稲田大学への留学時代のことです。あるドイツ人の友人がコンビニでバイトをしたくて面接に行ったんです。日本語は普通に喋れるし、書けるし、読める。だけど見た目が「ザ・ガイジン」。そうしたら、あっさり「あなたは日本語ができないからダメです」と断られていました。超できるのに！

「いやいや、そのマニュアルも全部読めますよ」と完全に日本語で主張したけれども、「いや、できないでしょう」と謎の決めつけで落とされていたんです。そもそもその会話が日本語で成立しているというのに！ これは2005年あたりの話ですが、その後、あるタイミングから急速に外国人アルバイトが増えてきました。

大きなポイントは、みんな正規の「移民」じゃないということです。その多くが「留学生」として入国していますよね。外国人留学生という名の労働力。非常に日本独特の現象だなと思っています。

日本では、特に保守層に「移民が入って来ると日本の良さが失われる」「治安が悪化する」と反対する人がいて、政府として表立って「移民政策」を打ち出せない。でも、外国人労働者がいないと労働力不足になってしまうのは明らかだ。そこで「移民と呼ばない移民制度」のようなものでお茶を濁しているんです。「技能実習生」はそのための重要なからくりです。

技能実習生については、特に待遇面の問題がいろいろ指摘されています。独身で日本に来て滞在中は結婚できないとか、仕事を変えられないとか……。それで誰が喜んで来るのかと。すぐ近場の韓国とか中国でもっと好待遇の求人施策をとれば、自然とそちらに流れていってもおかしくない。

労働力を補うために外から人を呼ぶというのは、アリだと思うんです。でも、そこはしっかり「労働力として来てもらいたい」と明言すべきではないでしょうか。でもそこをはっきり言わずに、なんか社会貢献的なニュアンスを醸(かも)し出そうとしている。「技能実習生」という言葉自体がそうですよね。技術大国日本に来て、外国人に「技能」を「実習」させてあげますよという建前。そこに無理やり感が見えてしまうなと。

実際、技能実習生の方にインタビューしたことがあるんです。「搾取がきつい」という理由で逃げ出してきている人も大勢いました。機械の扱い方の説明を十分に受けないまま、見よう見まねでやって怪我をしたとたん「国に帰れ」とか言われてしまうようなことがある。
でも、彼らも日本に来るために、現地のお金で莫大な借金を背負ってきているから、とにかくそれを返さなくてはならない。それで雇用主のところを抜け出して、ほかのところで違法に働かざるを得ないというケースもありました。

日本の漁業の現場では、インドネシアからの技能実習生が多いですね。例えば瀬戸内海の牡蠣の養殖の現場で働いている技能実習生はインドネシアから来ているんです。でも、牡蠣の養殖は地形や海水温などの自然条件が揃わないとできない。インドネシアに帰って、どの程度牡蠣の養殖ができるのか。でも、瀬戸内海の牡蠣養殖はインドネシアの若者たち抜きでは成り立たなくなっている。
それにしてもドイツはこれだけ移民や、特に難民を受け入れて、今後の社会・経済発展にプラスになりますかね。

まだわかりませんね。結果が出るのはもっと先だと思います。たしかに難民受け入れを決めたとき、メルケル首相も言っていたんですよ。「これで将来的な働き手が得られる」みたいなことを。若い難民の人たちが、労働者になり、納税者になっていってくれるのか、はたまた将来的にもっと別の問題を背負い込むことになるのか、そのあたりの包括的な検証は、10年後あたりに可能となる気がします。

ドイツで難民の取材をしていたときに、ベルリンでイスラエル人とパレスチナ人が共同で開いたレストランを訪ねましたよ。その名も「カナン」。

カナンは、旧約聖書に「乳と蜜の流れる場所」と書かれている地域ですね。神がアブラハムの子孫に与えると約束した場所だから、「約束の地」とも言われている。昔はパレスチナ地方と言われた、現在のイスラエルのことです。それがレストランの名前になっているわけだね。

メニューはどんな感じですか?

基本は地中海料理。結局、イスラエル人もパレスチナ人も、同じ地域に住んでいるので、お料理も似通っている

部分が多いんですよね。イスラエル人の方が、おばあちゃんによくつくってもらったというユダヤ料理をベースにして、いわゆるアラブ料理と、ドイツ料理の要素も織り交ぜたメニューになっていました。例えば、アラブ料理のひよこ豆のフムス（ペースト）と、ユダヤ料理のファラフェル（コロッケに似ている）、それにドイツのカイザーパンと新鮮な野菜サラダが一つのプレートにオシャレに盛り付けられている。日本人の口にも合うような素材を生かしたシンプルな味付けで、美味しいんです。

「ベルリンはコスモポリタンが多い街だから、こんなことも可能なんだ。お客さんにお料理をつくって出して、喜んでもらうことを目標に一緒に働いていたら、忙しくて余計なことを考えたり、いがみ合ったりしている暇なんかないよ」とオーナーたちは言ってましたね。

厨房で働いているのも、イスラエル人やパレスチナ人なのですか？

そのときはシリア難民の人たちが中心で、ドイツのレストランで長年シェフを務めてきたドイツ人の方もいました。国籍や対立を超えて、食を通して平和のメッセージを発する場所を目指しているんですね。

そうか、シリア難民たちに仕事を提供する場にもなっているんだ。

ようやくアルバイト的な仕事ができる程度のドイツ語が身についた難民たちが、次のステップに進むための修業ができる場にもなっていました。もちろん、母国でシェフをしていたという方もいて、これまでのキャリアを生かした仕事ができるならうれしい、と話してくれましたよ。

シェフであるとか、教員であるとか、母国で仕事のキャリアのある難民の人たちは、もしかしたらドイツでの仕事を探しやすいかもしれません。ただ、例えば介護士のような資格は、ドイツの資格と他国の資格で基準などが違うため、ドイツで試験を受けて取り直す必要があるという話も聞きました。いずれにしても、ドイツ語を身につけ、ドイツで資格をとって働くのは、たやすいことではなさそうだなと感じましたね。

ひきこもり100万人時代の日本

菅政権では有識者会議「成長戦略会議」で、デービット・アトキンソンさんがアドバイザー的立場に立って、ちょっとびっくりしています。彼は日本の中小企業の多さを批判していますけど、ひきこもりやフリーターのような人々をもっと活用できるんじゃないか、とも言っているようです。こういう見解についてはどう思われますか？

たしかに、日本ではひきこもりが多い。２０１６年の内閣府の調査では、半年以上家にひきこもっている15〜39歳までの人が、およそ54万人以上いると推計しています。２０１８年の調査では、40歳から64歳までに限っても約61万人以上いるということですから、おそらく１００万人以上のひきこもりが日本にはいるはずです。

ただ数字としてあっても、実際に働けるかどうかは別問題ですよね。そもそもほとんどの方が「人と関わりたくない」からひきこもっているわけで、それを「労働力になってください」「はい、わかりました」となるわけもない。そんな単純な数合わせの問題ではありませんよ。

最近は人と直接関わらずにリモートワークできる時代になってきています。でも長年ひきこもっている方は、その技術習得のための機会がありません。これから初めて労働市場に出る場合にはリモート的な働き方も初期的な選択肢に入るかもしれないけれど、すでにひきこもって何年も経過している人々を一挙に労働市場に駆り出そうという発想は、ちょっと現実的ではありませんね。

現在、40代、50代あたりのひきこもりの方々が一番深刻じゃないですか。私は90年代からひきこもりの取材をしていますけど、当時から「ひきこもりの高齢化」問題が言われていました。若い時期は、面倒を見てくれる親がいるからまだいいけれど、高齢化したときにどうなるのかと。

いわゆる「８０５０問題」ですよね。親が80代で、50代のひきこもりの子どもの面倒を見ている。

面倒を見ていた高齢の親が死亡し、その子もほどなくして自宅で亡くなっているのを発見されるような事件も起きています。あるいは高齢の親が亡くなっても届け出をせず、そのまま年金を不正に受給し続けていたり。孤独死も増えています。

そもそも、なんでそうなっちゃったんですかね。成人したのに働きに出ない。家にずっとひきこもってしまう。外国でも「Hikikomori」現象は日本関連のニュースで時々話題になるのですが、そういうケースがなぜ日本でこんなに多いのか。

学校をドロップアウトしたり、不登校になったり、会社での人間関係の躓き（つまずき）からひきこもりになってしまう人も多いんです。

いじめを経験してというケースも多いですね。家にひきこもるようになったら、「ああ、人と関わりを持たないと、こんなに楽なんだ」と気づいてしまった。本当に心に傷を受けて、しばし癒やすためのつもりが、長期化して、もはや表に出られなくなってしまうようなパターンが多いのかもしれません。あとは、「なんだ、働かなくても生きていけるじゃないか」と思うようになってしまった人もいるんでしょうね。

いろんなきっかけがそこにはあるんでしょうけど、根本として素朴な疑問があるんです。なぜ、親はわが子の状態をそのままにしておいたんだろうって。
学校がつらい、行きたくない。わかります、そういうことってありますよね。ドイツにもいじめはありますから。でも、そこから「つらいなら、ずっと家にいていいんだよ」という、どうして「ずっと」になってしまったのか。

かつては「不登校はよくない、無理やりにでも学校に行かせるべきだ」という意見が主流でした。でも、ある時期から「登校刺激はよくない」「学校に無理やり行かせようとすること自体がよくない」「あるがままにして様子を見ておこう」という方針が言われるようになりました。「子どもにも人権があるのだから、大人が無理強いすべきじゃない」という意見もあります。

周囲が言えば言うほどネガティブなプレッシャーが増大する、というのはわかります。

でも、長年取材してきて思うのは、やはり何かのきっかけをつくってあげないと、そのままひきこもり続けてしまうということです。そのきっかけをつくるのが難しいんでしょうけど。

まだメンタルヘルスケアの概念が、あまり発展していなかった頃の話でしょうか。

そう、今ほど心療内科受診が当然になる前の時代の話ですね。メンタル的なケアはそれなりに存在していましたが、いかんせん一般的ではなく社会的な認識も薄く、カウンセラーの質も様々でした。

ひきこもりや登校拒否といえば、ドイツ語にも直訳的に該当する「Schulverweigerer（学校拒否者）」と呼ばれる人はいます。ただしこれは医師の診断書を取った上での「正式な病欠」なので、日本で議論されているような「一応健康体」のままひきこもる人たちとは、かなり性質が異なります。確かに「ひきこもりがち」な人はドイツにもそれなりにいるでしょうけど、日本のケースでよく報告される「外界との長期間の断絶」みたいな状況は、無いか、きわめてレアでしょう。

一般的にドイツでは、18歳になると一人前の大人として実家を追い出されます。もちろん勤め始めた先で問題があった場合など、「もう少し生活が落ち着くまで実家にいさせて」みたいなケースはありますが、20歳を過ぎ、30歳を過ぎた健康な男女が親元に住み続ける状況は、とにかく普通ではありません。だから日本的な「ひきこもり」の現象を聞くと、ドイツ人はすごく不思議に思うんです。なぜその状況が「維持」されてしまったのか、という点について。

「不登校」も同様です。ドイツの学校をめぐる諸問題の中でも聞いたことがないし、身近にもいない。教師である私の親も「それは無いね」と言ってました。
ドイツの子どもだって「今日行きたくないな」とサボってしまうことはあります。でも一定期間を超えてずっと学校を休むとどうなるか？　警察が家に来るんです。罰金制度もあります。

罰金ですか！

そう。例えば小学校期間は「義務教育」です。その期間、子どもには「教育を受ける権利」があり、親には「子を学校に行かせる義務」がある。そこで「不登校」状態が続けば、親はその「義務」を履行していないことになるんです。だから罰金が発生する。
その場合、虐待などが行われていないか、警察が捜査とチェックを行います。その過程で何らかの心身的な問題があると見なされれば、そこから改めてメンタルケアやカウンセリングなどの対処が行われます。

子どもの学ぶ権利や保護者の学校に行かせる義務という観点で言えば、日本もドイツとさほど変わりません。
にもかかわらず、ドイツではほとんど見られない「ひきこもり」が、なぜ日本には当たり前のように存在するのか。正直、私自身にもよくわかりません。ただ、どうして「ひきこもり」にな

ってしまったのか、その原因や過程を見てみると、様々なんですよね。

いじめや教師との関係など学校が原因になっている場合もあれば、家庭の問題の場合もある。医療的なサポートが必要な場合や、そもそも怠惰が高じて長期化する場合もあり、千差万別です。

また、学校の出席日数を補完する「適応指導教室」や通信制の諸学校など、私が不登校の取材を始めた30年前よりもサポート体制は充実してきています。

ひきこもり問題の焦点は、繰り返しになりますが、その状態が最終的に何をもたらすか、であるように思います。家庭内暴力などの問題行動に結びついたり、自分を養ってくれる親が死去した後、生活能力を欠いた状態で孤立したり、という……。残された子どもが自殺するケースもあれば、親が亡くなったことを隠して年金を不正受給し続けていた、というニュースも散見されますね。いずれにせよ悲劇です。

ひきこもりのサポートに当たっている民間団体からは、もし相談してくれたら何か力になれたかもしれないのに、といった声も聞こえてきます。これも、もしかしたら社会の無関心からくることなのかもしれません。

日本人は優しいのに、なぜ自己責任と言ってしまうのか？　の答えになるかわかりませんが、例えば社会的な諸問題について、どう対処していいのかがわからない、何を言っていいか自信がない、といった先入観が強くて、助けたい気持ちがあっても何もできない、だから自分からは関わらない、という行動になってしまうのでは？　と思ったりします。

こういう話になるといつも気になるのが、周囲の反応、社会的な反応です。つまり、「不登校」や「ひきこもり」、あるいは「生活保護」や「同性婚」などに関しても同じですけど、ネットの声などを拾い読むと、こんな声がかなり見られます。

「別にそれで本人たちが生活していけるならいいじゃないか」「別に社会に迷惑をかけていないんだからいいじゃないか」「本人の意思でそういう生活を選んでいるんだから、いいじゃないか」という内容。こういう意見は、本人の意思を一見尊重しているようで、実は「どうでもいいじゃん」「だって自分には関係ないし」という、突き放した見解の表れのように思うんです。自分が当事者でない以上、世の中でどんな問題が起きていようと基本的には関係ない、余計な話に巻き込まないでくれ、というスタンス。

私は日本に来ていろいろな日本人と接してきて、本当に優しい人が多いと実感しています。お店の人も優しいし、知らない街で道を尋ねたりしても、みんな気持ちよく教えてくれる。でもだからこそ、こういった社会保障的な話題になった際に突如出現する「突き放しと無関心の構え」にちょっとびっくりするんです。

「弱者」と言っていいのかわかりませんけど、社会における少数派の人たち、現在困っている人たちに対する、社会全体の「放置していいよね」というウラ側の合意形成。自分に関係のないことに対しては税金や社会保障を可能な限り抑えたいという心の声。こういう心理は一体どこから生じてくるのでしょう。

日本でも、まだ地方に行くと、気遣ってくれる人たちがいると思うんです。でも、そういう地方で生まれ育った若者たちは、そういう〝干渉〟をうるさく感じてしまう。他人のことに一切無関心な都会に住んだ方が気が楽だという人たちが都会に出て来て、こんな無関心社会を築いてしまったようにも思えます。

先に語ったことと重なりますが、個人的なことに踏み込みたくない、わからないことには関わりたくない、特に個人の生活に踏み込むようなことはしたくない、ということのように思います。踏み込んだところで自分に何ができるわけでもない、という抑制がかかってしまうような。

アメリカ型「ザ・資本主義」VS.ドイツ型「福祉型資本主義」

ドイツはやはり「福祉型資本主義」の国なんです。同じ「資本主義」でも、アメリカはとにかく自由に制限なく富を求めるタイプの資本主義。実力のある人は自力でのし上がり、どこまでも勝者になれる社会。進化できる強者こそ生き残り、淘汰されていく弱者は滅びるのが道理だからしようがないでしょ、というダーウィニズム援用的なところがある。

でも、ヨーロッパ的福祉社会で生まれ育った人間からすると、それでいいのかという疑問が生理的に湧いてくる。「頑張れる個人はいいけれど、頑張れない人たちはどうなるの」「社会の大切な構成メンバーを放置していいわけはないし、そこは社会がしっかりと面倒を見なくてはいけないのではないか」と。

「弱者」に対する目線がどうなのか、というのが多分大きなポイント。

そうしてみると、日本ってアメリカ型とヨーロッパ型の中間に位置すると思うんです。「干渉」と「突き放し」のバランスが独特、と言えるかもしれない。あと、日本でよく話題になる「自己責任」論も、実は左派リベラル的な福祉重視主義に対する反感がベースになっていて、適者生存的な原理にしっかり立脚しているわけでもないように見えますから。

では、「福祉型資本主義」ってどこから来たのかと考えてみると、根っこはフランスとイギリスだと思うんです。18世紀のフランス革命と、19世紀にかけてのイギリスの産業革命。

フランス革命では従前の貴族中心的なシステムが揺らぐことで、初めて「市民の権利」や「自由と平等」「教育の機会」などが謳われるようになりました。イギリスの産業革命では労働者が都市に流入して、劣悪な環境で働く人が増えていく中、「労働者の権利を守る」必要性から「健康保険制度の導入」などが始まりました。その流れが、周囲のヨーロッパ諸国にも徐々に浸透していったわけです。

マルクスと共に『共産党宣言』を著したエンゲルスは、当時のイギリスの労働者の状態について、『イギリスにおける労働者階級の状態』という本を書いて、労働者の悲惨な状況を告発していますね。

そういった下地の上に、ドイツでプロイセン王国が誕生し、ドイツ帝国に成長します。世襲制の皇帝が支配するけど、普通選挙による議会も持つ。有名な鉄血宰相ビスマルクも登場しました。彼は「社会主義者鎮圧法」などで社会主義者を徹底的に取り締まりましたが、一方で社会保険制度など労働者階級の劣悪な環境を改善する施策も打ち出した。

第一次世界大戦後のワイマール共和国では貴族ベースの社会システムを脱しようとして、男女の普通選挙で大統領を選んだり、人間の基本権を保証する憲法を制定したり、人権に関する施策が進みました。

でもその後大恐慌が起こり、社会不安からヒトラーが生まれてしまった。でもそのナチスさえも、本来は労働者のための政党だったんですよね。

「国家社会主義労働者党」ですよね、正式名称は。貧しい労働者層に魅力的な政策を次々に打ち出して、大衆の支持を受けました。

それです、日本語にすると舌を嚙みそうな（笑）。

ナチスは共産主義を弾圧したけど、一般大衆を魅了する「下から目線」の政策を次々に打ち出した。国民車をつくり、アウトバーンをつくり、公共事業を盛んにすることで人々に職を提供した。そして戦後のドイツは、今度は旧東ドイツで共産主義を選びました。

だから、結局ドイツは、王制、帝政、共和制、ファシズム、共産主義と、あらゆる政治体制を経験してきたけれど、根本的な考え方として、案外「市民の権利、労働者の権利」を常に打ち出してきている国でもあるんです。

戦後の日本には、イギリスの「ゆりかごから墓場まで」という社会福祉政策をお手本にしてきた時期があります。第二次世界大戦後、チャーチルに代わって政権を掌握した労働党のアトリー政権が推進した施策ですね。

イギリス型を目指したことで、戦後の自民党政権は自覚なきまま、結果的に社会民主主義的な政策を進めてきたと思います。とりわけ田中角栄内閣がそうでした。そうした田中路線に真っ向から異議を唱えたのが福田赳夫で、その路線を引き継いだのが森喜朗、小泉純一郎、安倍晋三でした。彼らは「小さな政府」を指向し、「自己責任」を強調しました。今の菅内閣も「自助、共助、公助」という言い方をして、「まずは自分で努力しろ」という路線ですよね。

でも、小泉内閣以降、日本社会の格差が拡大してしまった。今になってマルクスの『資本論』が再評価されているのは、格差社会に対する不満や疑問が噴き出しているからだと思います。

コロナ禍でも国が助けにならないということになると、今の社会を大転換させるべきだという声が高まる可能性は、意外に高いと思います。

第5章

ドイツで同性婚が合法化
2017年10月1日

写真：picture alliance/アフロ

家族のあり方を考える
——幸福の起点には何が必要か？

●「選択的夫婦別姓」
導入の議論が、
日本でなかなか進まないワケ

●日本での
「同性婚」を阻むのは、
戸籍や憲法解釈

●雑誌『VERY』が
象徴するのは、
現代版良妻賢母

●「女の子はしとやかに」
「男の子はたくましく」
性差の役割

Japan

■ドイツでの夫婦の姓は、
３つの選択肢がある。

■ドイツでは2017年から
「同性婚」が認められる
ようになった

■日本のような
「家」制度とは異なるが、
ドイツでも家系を大切にする
階層はある

■「女子力」という
発想がない

■ドイツにも
「ガラスの天井」はある

Deutschland

5-2 家族とジェンダー意識の現状

ジェンダーギャップ指数（2021） 上位国及び主な国の順位

順位	国名	値	前年値	前年からの順位変動
1	アイスランド	0.892	0.877	-
2	フィンランド	0.861	0.832	1
3	ノルウェー	0.849	0.842	-1
4	ニュージーランド	0.840	0.799	2
5	スウェーデン	0.823	0.820	-1
11	**ドイツ**	**0.796**	**0.787**	**-1**
16	フランス	0.784	0.781	-1
23	英国	0.775	0.767	-2
24	カナダ	0.772	0.772	-5
30	米国	0.763	0.724	23

順位	国名	値	前年値	前年からの順位変動
63	イタリア	0.721	0.707	13
79	タイ	0.710	0.708	-4
81	ロシア	0.708	0.706	-
87	ベトナム	0.701	0.700	-
101	インドネシア	0.688	0.700	-16
102	韓国	0.687	0.672	6
107	中国	0.682	0.676	-1
119	アンゴラ	0.657	0.660	-1
120	**日本**	**0.656**	**0.652**	**1**
121	シエラレオネ	0.655	0.668	-10

内閣府 『共同参画』2021年5月号より引用 出典：The Global Gender Gap Report 2021/世界経済フォーラム

「経済」の小項目ごとの評価

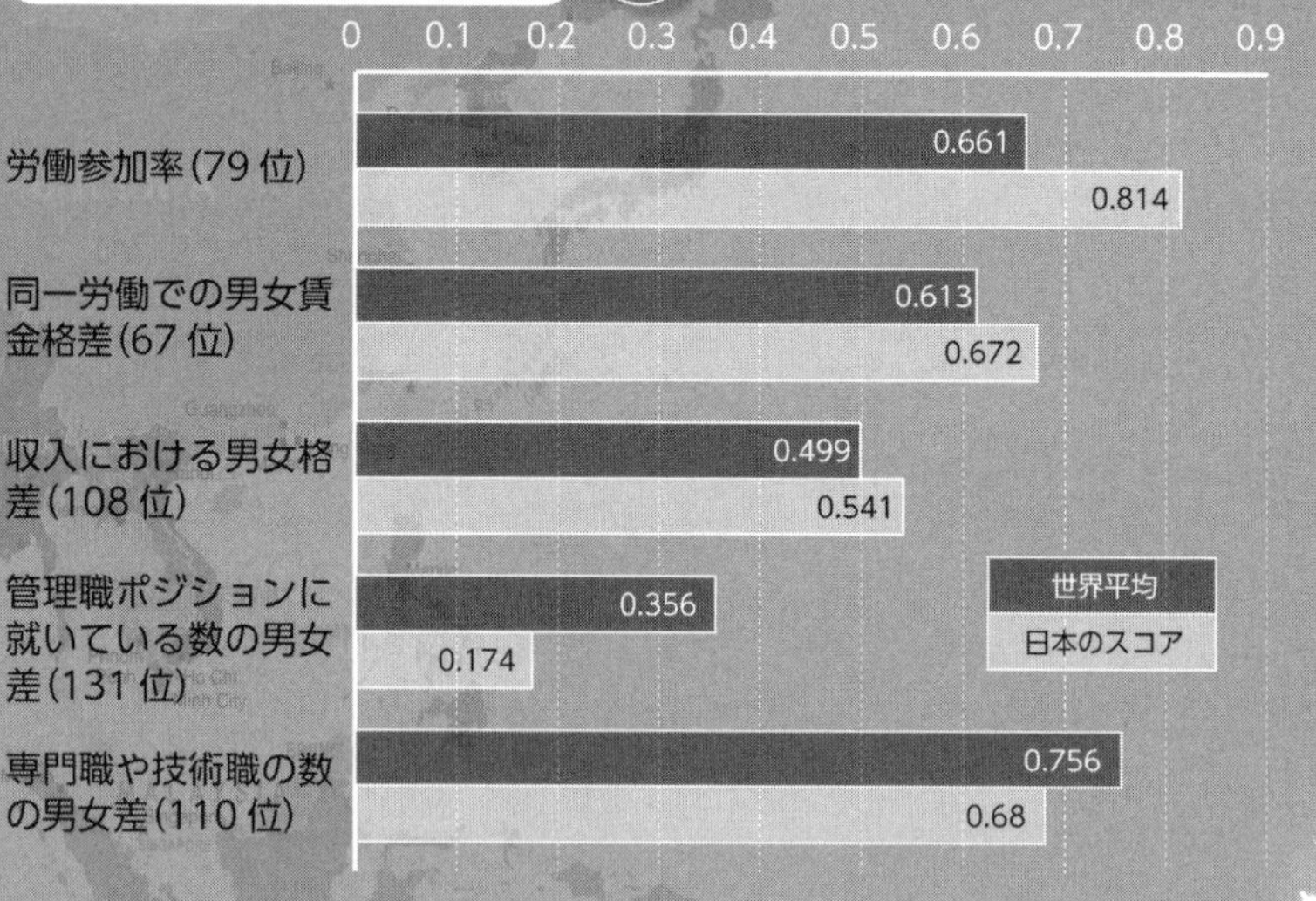

Huff Post Japan 作成 Haffpost Japan HP より引用
出典：Global Gender Gap Report 2019

同性婚を認めている国

同性婚を法的に認めている国
シビル・ユニオンのみ

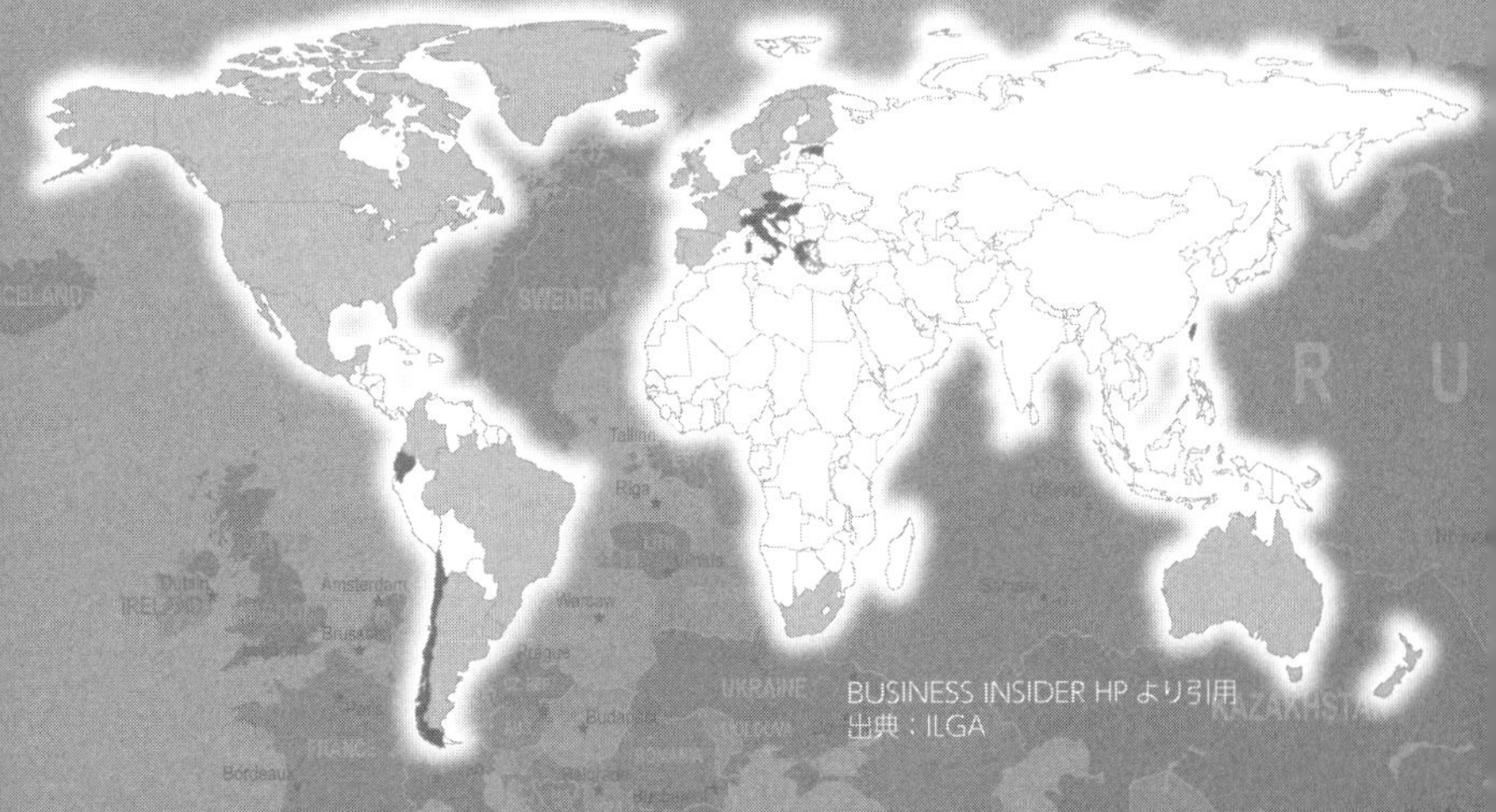

BUSINESS INSIDER HP より引用
出典：ILGA

選択的夫婦別氏制度に関する調査結果の推移

	夫婦が希望している場合は婚姻前の性を名乗ることができるよう法律を改めてもかまわない	夫婦は必ず同じ姓を名乗るべきで、現在の法律を改める必要は無い	夫婦は必ず同じ姓を名乗るべきだが、婚姻前の苗字を通称として使えるよう法律を改める事は構わない	わからない
平成 29 年 12 月	42.5%	29.3%	24.4%	3.8%
平成 24 年 12 月	35.5	36.4	24.0	4.1
平成 18 年 12 月	36.6	35.0	25.1	3.3
平成 13 年　5 月	42.1	29.9	23.0	5.0

法務省 HP より引用

「選択的夫婦別姓」で、何が変わるか

「家族のあり方」で最初に思いつくのは、「選択的夫婦別姓」や「同性婚」です。どちらもドイツではすでに法的に認められていますが、日本ではまだ議論が始まったばかりです。

政府は2020年に「第五次男女共同参画基本計画」のための案を出しましたけど、そこでの文言に注目が集まりましたよね。男女が平等の権利と機会を得て、社会参画していけるための社会を目指すための計画ですが、その案から「選択的夫婦別姓」の文言がすっぽりと消えていたからです。

そのニュースは聞きました。どういう経緯の話なのでしょうか。

もともとの政府原案はこうだったんです。「婚姻前の氏を使用することができる具体的な制度のあり方」について「政府においても必要な対応を進める」。
それが2回目の修正案では、「選択的夫婦別氏(姓)制度の是非に関して」「検討を進める」という具体的な表現にまで一歩踏み込んだ。
ところが、最終的に出された案を見たら、「選択的夫婦別氏(姓)制度」の文言がすっぽり抜

け落ちてしまっていたんです。

文言が消えたということは、そもそも議論できなくなったということですか。


そうですね。最終的な案では、このように書かれていました。

「夫婦の氏に関する具体的な制度のあり方に関し、夫婦同氏制度の歴史を踏まえ、国民各層の意見や国会における議論の動向を注視しながら、司法の判断も踏まえ、さらなる検討を進める」

非常に漠然とした表現になってしまった。原案を見た自民党の保守派議員が怒って注文をつけたからだと言われています。


そもそもなぜ法改正のニーズがあるのか。現行システムでは婚姻の際、夫婦どちらかの姓を選ばなくてはなりません。そして実際には約96%が夫の姓を選択しているそうです。

ただし、苗字が変わることで少なからぬ不具合も生じます。銀行口座やクレジットカード、パスポートの名前も変えなくてはなりません。旧姓で仕事をしていた場合は、キャリアの問題もあります。「なぜ女性は夫の家に入らなくてはならないのか」といった価値観の変化もあるでしょう。

だったら、夫婦ごとに苗字を選べるようにすればいいじゃないか、というのが選択的夫婦別氏制度。これまで通りに夫の姓に変えたい人は変えればいいし、旧姓を保持したい人は、そのまま名乗れるようにすればいい。

合理的な話だと思いますけど、それに大反対する自民党の政治家がいるんですね。そして、少なからぬ女性議員たちが、その反対意見に同調している。

そこは、なぜか女性なんですね。

反対派の人々のポイントは、子どもの姓をどうするかということなのでしょうか。

それもあるでしょう。生まれた子どもの姓をどちらに合わせるのか、籍をどうするのか。さらに「家族全員同じ苗字でないと、かわいそう」とか、「家族が崩壊する」とか、そういった話も出てくるんですよね。こういった現象は、ドイツの人から見ると、どう思われるんでしょう。

ドイツもかつては日本同様、夫婦同姓でしかも夫の姓に合わせるのが一般的でした。でも90年代以降、「選択的夫婦別姓」が認められるようになりました。

現在、ドイツでは選択肢が3つあります。まず「夫婦同姓」。従前と同じタイプですね。二番目は「選択的夫婦別姓」。それぞれの旧姓を保持するもので、今、日本で議論されているタイプ。

ドイツで特徴的なのは三番目の選択肢「ダブルネーム」で、両方とも名乗っちゃう。夫と妻の姓をイコールで結んで、一つの苗字にしちゃうんです。よく外国人の姓で見られますよね。

なるほど。ミドルネームならぬダブルネーム。ダブル苗字ですね。初めて見たとき、意味がわからなかったんですが、そういうことなんですね。


例えば、私の母の旧姓は「シェーファー」で、父が「メントライン」なんですが、母は結婚時にダブルネームを選んだので「シェーファー＝メントライン」になりました。結構長めです。彼女は学校の先生だから、生徒たちは先生の長い名前を呼ばなくちゃいけない。

もっとも、家で電話に出るときなどは、母はそのまま「シェーファー」と名乗っていますね。だから、事情を知らない人が電話をかけてきた場合は、一瞬混乱するようです。「えっ、メントラインさんの電話番号じゃなかったですか」と（笑）。

でも、支障となるのはそれくらいでしょうか。その他には何の問題もありませんし、別に「家族が崩壊する」わけでもなく、「子どもがかわいそう」という話も聞きません。

あと、子どもの名前は両親どちらかの（旧）姓を選びます。そうでないと、ダブル苗字の子どもが結婚してまた両方を名乗りたいとなると、トリプル苗字になってしまう。さすがにそれは長すぎるということですね。ちなみに、親はすべての子どもに同じ姓を与えなければならないのですが、姉と私は父方の「メントライン」姓です。「メントライン」姓は絶滅危惧種なんですよ。


「メントライン」姓は、ドイツでは少ないんですか？

知る限りでは、うちと南ドイツの家族と、あとオーストラリアの家族くらいしか残っていないいんです。そう、オーストリアではなくオーストラリア（笑）。だから、ちょっとこの苗字を守りたいなという気持ちがありまして。

私の姉は同性婚をしているんですが、相手の女性もメントライン姓を選んでくれたので「メントライン」人口がちょっと増えてうれしいです。しかも、その2人が2020年の夏に赤ちゃんを引き取ったんです。もし最終的に養子縁組が認められ、その子もいずれメントラインに入ってくれれば、さらにもう一人増える。厳密に血はつながっていなくても、そういう形で家族が増えていくのはうれしいことです。

日本では親がいなかったり、養育放棄をされてしまったりした子どもたちが児童養護施設に入っていますが、こうした子どもたちが、養子縁組で別の家庭に引き取られていくという方式もあります。私の知人も養子縁組をして、我が子として育てています。「子どもにせがまれて釣りに行ってきた」などと楽しそうに話してくれます。

ただ、日本ではまだまだ少数ですね。

これまで、児童養護施設や乳児院、また個人で多くの子を里親として育てているという方に取材に行ったこともあります。取材先の施設には、様々な背景を持つ子どもがいましたが、どの子も初めて会う私に一生懸命話しかけてくる。無意識に愛情を求めていることがひしひしと感じられたんです。私自身、取材で来ているのにどう表現したらいいのかわからないような、もどかしい気持ちになったりして……。そのとき初めて、子どもに罪はない、という言葉を真に理解できた気がします。

里親と養子縁組とでは制度が違いますね。あまり知られていないけれど、養子縁組は民法に基づいて戸籍上も養父母となり、親権が生じるけれど、里親には親権はなく、一定期間子どもを預かって育てるということですね。

そうです。その違いがわかっている人の方が少ないんじゃないかと思います。なので里親の場合、行政から経済的な補助があります（毎月8万6000円の手当と約5万円の養育費）。もちろん養子縁組の場合には、自分の子どもになるわけですから手当や養育費の補助はありません。私が取材をした方は、不妊治療で悩んだ末に里親という選択をしたご夫妻でした。暮らしぶりはまさに大家族そのもの。取材で何度か足を運びましたが、どの子に対しても分け隔てなく、変に気を使うわけでも遠慮するわけでもなく、あまりに自然な様子に感心するばかりでした。

日本では、という言い方が適切かどうかわからないけれど、まだまだ血縁や名前に強いこだわりを持つ人の方が多いだろうから、他人の子を、しかも見ず知らずの子を育てるなんて……という考え方が根強いよね。

そうしたこだわりが、ある意味不妊治療の苦しさにつながっているようにも見えます。

そうなんですよね。ここでもやはり、「子どもは社会で育てるもの」という意識がキーワードになってくるかもしれない。

日本の「夫婦別姓」について、もう一つ不思議なことがあります。日本人同士が結婚するときは夫婦別姓が認められないのに、外国人女性と日本人男性の結婚では認められる、という点です。逆に、6カ月以内に特別に申請しない限り「夫の姓に変更することができない」のです。

私は日本人の夫と結婚しましたが、「マライ・メントライン」のままです。もちろん申請すれば、夫の姓である「神島」になることもできるし、あるいは「マライ・メントライン＝神島」か「マライ・神島＝メントライン」とダブルネームで名乗ることもできます。不思議でしょう？　日本人があれほど望んでもかなわない「選択的夫婦別姓」が、外国人ならあっさりできてしまう、どころか基本的に何でもアリ。

でも、この仕組みを嫌がる外国人もいます。穿（うが）った見方をすると、「外国人はしょせん日本の家制度の外にいますよ、と最初から表明されているようなものだから、ちょっと寂しい」という心理の反映だったりしますね。日本人と同じ束縛を味わってこそ「日本社会に受け入れられた」っぽさを実感できる、ような……個人的にそういう流儀にはあまり賛同できませんが。

なんというか、内向きニッポンの象徴みたいなビミョーな制度ですね（苦笑）。

「同性婚」で家族は壊れる？

ドイツで同性婚が認められたのは、いつ頃ですか。

わりと最近、２０１７年からです。「結婚は異性または同性の2人の人間によるもの」と定義されました。

以前からなのかと思っていたら、案外そうでもなかったという……。

ええ、要するにキリスト教業界が反発していたので、アイデアは昔からあってもなかなかスムーズにいかなかったわけで。

「業界」ですか（笑）。

日本では同性婚が法的に認められていませんが、2015年に渋谷区が「渋谷区パートナーシップ証明」を導入しましたね。パートナーになっていれば、病院で家族として見舞いができるなど、事実上の結婚と同じように扱おうという仕組みです。その後、この方式が全国に広がりましたね。

ただ、あくまでも住んでいる地域限定で認められた制度なので、法的根拠がないんです。それでも生命保険会社の中には、同性婚の方が保険金の受取人になれるような手続きを紹介しているところもあります。LGBTQへの理解自体が企業の取り組みの一つになってきていますから、少しずつですが、世の中も変化してきているのではないでしょうか。

「パートナーシップ制」はドイツでも2001年から導入されていました。婚姻と同等の権利を受けられる制度で、前政権の「SPD（社会民主党）」のときに成立しました。

ちょうどこの頃、元ベルリン市長のクラウス・ヴォーヴェライト氏の演説が評判になりました。2001年のベルリン市長選前の演説で、自らゲイであることをカミングアウトして、その言葉が「私はゲイである。それもまたよし！（Ich bin schwul – und das ist auch gut so!）」。このフレーズは流行語にもなりました。まさに言霊（ことだま）力の勝利というか（笑）。ちなみにベルリンはゲイカルチャーが盛んな土地でもあります。

ただ、ＳＰＤの次に政権を担ったＣＤＵ（キリスト教民主同盟）は、キリスト教系の中道保守政党です。キリスト教は同性婚に反対の立場のはず。よく制度成立を認めたな、と思います。

メルケル首相も個人的には「結婚は異性間で行われるものと思っている」ようです。が、あると き女性誌主催の講演会で、うっかり発言したんです。読者から「同性婚はどうなりますか」とい う質問が突然来たのに対し、「適切なタイミングがあれば、そういう議論も出るでしょう」とコ メントした。これは「国会で議論が可能になる」と解釈可能です。時期的にちょうど通常国会が 終わる直前だったため、野党が滑り込みで議論の申請をしたところ、スパッと決まってしまった。

すごいですね。つまりは、メルケル首相の発言を受けてすぐに同性婚が決まったわけではなく、「国会で審議することが決まった」ということですね。

そう。だから、いわば「失言」の一種ともいえます。当時ＣＤＵはＳＰＤと大連立政権を組みながら、内部で巧みに「同性婚」ベクトルをブロックし続けていた。それがメルケルの「オウンゴール」をきっかけに、あれよあれよと手続きが進んでしまった、という印象です。

でも、大局的には時代の流れには逆らえなかった、という話だったと思います。巷間すでに同性婚を望む声が強くなってましたから。日本でも特に20～30代は、８割の人が「同性婚」に賛成していると聞きます。せめて議論だけでも進めばいいのになと思いますけど、日本独特の難しい事情があるんでしょうか。

憲法の問題もありますね。日本国憲法で、「婚姻は、両性の合意にのみ基づいて成立」とありますから。「両方の性」、つまり「結婚は男女の合意にのみ基づいている」という解釈で、ならばその憲法自体を改正しなければ「同性婚」は認められないと、そういう話になっているんですよね。

でも、日本って、そのあたりの憲法に関しては、結構「解釈」でいろいろ何とかなってしまう国だとも学んでいるんですけど……。

たしかに、憲法学者の木村草太さんなんかは「現行憲法でも同性婚は可能」という見解を出しています。

憲法でわざわざ「両性」と表記したのは、かつて女性の権利が著しく低かったから。男性側の決定のみで成立してしまう婚姻もあったので、男性と同じく女性の合意も婚姻には必要という意味で「両性」と強調した。
だから大切なのは、「男女」か否かではなく、あくまで「当事者双方の合意に基づくべき」という点でしょう。その観点に立てば「同性婚は可能」と、そういう解釈でいいと私は考えています。しかし反対派の人たちの主張を聞いていると、結局彼らは何を一番守りたいのか、よくわからなくなってくるんですね。

やはり戸籍の問題でしょうか。日本人的には「戸籍」は、とても大切でこだわり深いものと聞いています。

昔は「戸籍を汚さない」という表現もありましたよね。離婚が当たり前でない時代には、「離婚すると、戸籍が汚れる」というような言い方をしました。

戸籍に「×」が付くんですよね。そこからバツイチという言葉も生まれました。

でも、昔の徳川将軍とかはそれこそいろんな人と結婚していたじゃないですか。側室もたくさん持って、それでも世継ぎが生まれなければ、他家から養子をもらって跡継ぎとかにしたはずです。そんなに「籍」とか「離婚」とかに厳しかったイメージがないんですけど。

それは明治より以前の話ですよね。

そうか。江戸時代までと明治以降は、また違うと。

新しく憲法ができて民法ができたのは、明治以降です。しかも太平洋戦争以降は、また新しい価値観がアメリカから入ってきました。

そもそも戦国時代などは、同性愛がよくありましたから。織田信長には森蘭丸がいたし、ほかの武将たちも、奥さん以外に男の子を小姓として傍に置いていました。衆道文化もありました。そんな日本が今「同性婚」に対していろいろ言っているというのは、ちょっとおかしい気もしますね。

もちろん身分の高い人は、「家」を守ることを重視していたでしょうが、一般庶民は苗字すら持っていなかったわけですから。

そうなると、明治以降に手にした戸籍や苗字に対してみんなプライドを持つようになった、ということでしょうか。それまで持つことができなかったからこそ、大切にしようと。

どうなんでしょうね。たいして歴史があるわけでもないのに、保守派の政治家が「日本の伝統を守れ」なんて言うと、「そんなのは伝統じゃないよ」と突っ込みたくなります。

でも、家系図を大切にするという考えはありますよね。それぞれのルーツを探るファミリーヒストリー的な。うちの祖先をさかのぼると一体どこにたどり着くのか。そこに興味を持つ人は多いのでは……。

みんな、だいたい源氏・平氏・藤原氏にたどり着きますよ（笑）。そんな家系図をつくってくれる商売があるんです。

でもそこまでさかのぼっていくと、結局「×」だらけの世界になっていくから、矛盾してきますよね。

そう。同性婚・選択的夫婦別姓の反対派の人々が尊重する「伝統的な家族観」の「伝統」が、実は明治維新以降、あるいは戦後に出来上がったもの、という観点は重要ですね。そこで立ち上がってくるのが、「両親＋子ども2人」こそスタンダードな家族のあり方、という通説めいた主張。もっともその基準も、最近ではだいぶ崩れてきていると思いますけど。だって単身者やカップル2人だけの世帯とか、いろいろな家族の形が生まれてきていますし。それなのに、政府はいまだに何か政策を立てるときなどに、「両親と子ども2人の家族を例にとりますと……」とやっている。

この「幸せな理想の家族の形」という判で押したような価値観は、もはや今の時代に合わなくなってきているだろうと思います。そこからはみ出した人たちがそれぞれの「幸せ」をどう追求していけるのか、柔軟に認識や発想を変えていく必要性があるでしょうね。

ドイツの社会上層部は「フォン」率高し

ドイツの「家」「家系」を見ると、守るというのとはちょっとまた違う気がします。特に貴族や王族はかなり積極的に、国境を越えて政略結婚を繰り返しています。守るよりはむしろ「攻め」の姿勢というか(笑)。ヨーロッパの王室とか見ると、たいていどこでもドイツ人が登場しますね。

オーストリアのハプスブルク家など、その典型ですよね。戦争するくらいなら、結婚してしまえと。

そうです。今のドイツは貴族システムをやめていますけど、でも名前は残しているんです。「フォン（von）＋領地名」みたいな感じで。欧州委員会の委員長のウルズラ・フォン・デア・ライエンさん、彼女もフォン族ですね。やはり大使館とか教養層を見ると、フォン率が本当に高いのがわかる。

フォン族とフォン率ですか（笑）。

名前を見ると、「ああ、この方はそういうご出身なのか」とわかるんですよね。

だから「階級社会」「格差社会」とは少し違う話ですけど、そういう古いつながりというのは現代でも存続していて、それが社会上層部の「人脈」を構成していたりする。ドイツだと「ビタミンB（Vitamin B）」と呼ぶんですけど、「B」は「関係（Beziehungen）」のこと。要するにコネですね。

コネね。たしかに日本でも政財界では非常に大切なものとされていますよね。

「ビタミンB」を持っている人というのは、結局、代々の家柄もいいお金持ちの家に生まれ育っ

ています。学校も、普通の公立校ではなく私立の寄宿学校などで過ごし、どこかの社長をしている親戚や知り合いのつてで、大企業に就職したり。要するに、フォン族の人たちにとって社会の上層部に行きやすい仕組みが整っているんですよね。実際、今なお「旧貴族」のサークルもあったりするらしい。

でも、だからといって、そういう家庭が離婚しちゃいけないとか、離婚すると戸籍が汚れるとか、そういう発想にはならないんです。普通にバンバン離婚してますし（笑）。

ドイツの学校は多くが公立校ですけれども、そういう人たちのための学校もある程度用意されているということですね。

一応、私立の寄宿学校もドイツにはあるんです。でもドイツではなく、他の国の寄宿学校に送られるケースの方が多い。特にスイスなんかが、そういった「お上流学校」をたくさん用意して、お得意さんを待ち構えている（笑）。

実にスイスらしいというか！（笑）。

そう。やはりスイスやオーストリアは同じドイツ語圏だから言葉の壁が低く、その手の学校の所在地として人気です。そして、実際にはドイツ語圏だけでなく世界中の上流階級の子弟が集まってくる。で、そこで北朝鮮のトップの子どもと同じクラスになったりするんですよ。

そういうことですね。スイスでクラスメイトでした、というような感じになるわけですね。

フェルディナント・フォン・シーラッハというドイツの人気作家がいます。日本でも『犯罪』『コリーニ事件』(すべて酒寄進一訳、東京創元社)などが出版されていますけど、彼もフォン族で、その中でも古い系譜を誇る、名門中の名門貴族の末裔(まつえい)です。

職業は弁護士ですが、実は彼の祖父がヒトラーユーゲント総裁のバルドゥール・フォン・シーラッハだったのが大きなポイントで、それが若い頃に巨大な葛藤をもたらして……とかいろいろ凄いのですが、それは別稿に譲るとして(笑)。要するに、彼も上流寄宿学校の経験者です。

その回想が興味深い。

クラスで隣の席に、クラウス・フォン・シュタウフェンベルクの孫がいて、仲が良かったらしいんですよ。ナチス大幹部の孫とヒトラー暗殺作戦の首謀者の孫が、机を並べて学校生活を過ごしながら何も問題が起きない世界。貴族階級のつながりは時代性や現世的な雑事を超えて、社会上層部に存在している、ということ。

その後、大学に入ったところで、フォン・シーラッハは「お前はナチ幹部の孫!」と周囲から吊し上げを食らってしまう。そう、そこから現実俗世との戦い、そして葛藤が始まる。

それは考えさせられますね。しかし日本にも、表立ってはいないけど似た世界があるようです。由緒正しい私立の学校に通っていた私の知人によると、クラスメイトに日本史の教科書に出てくる苗字が多いと言っていました。やはりそういう世界は受け継がれるんだなと思いましたよ。

『VERY』妻が、象徴するもの

ある珈琲店に入ったとき、いろんな雑誌が置いてある中、普段あまり読まない系のファッション雑誌を手に取ったら、想像もつかない世界が広がっていて驚きました。30代、40代くらいの家庭を持つ女性がメインターゲットらしいんですけど、あとで思うに、あれが『VERY』という雑誌だったのかな、という……。

ありますね『VERY』。そう、光文社から出ている30~40代の特に主婦層にカリスマ的人気を誇る雑誌です。

最初はごく普通のファッション雑誌でしたけど、途中からどんどん路線変更していったんですよ。あれのターゲット世代って、結婚したり子どもを持ったり、ライフイベントがたくさんあって生活がすごく変転する。そこで「子どもを持ってなお輝く私」という路線にシフトしていきましたよね。

その場合、ただ「子持ちです」じゃあダメなんです。「若く美しく、ファッションセンス抜群で、時にはバリバリ仕事もしながら、子育ても手を抜かずにちゃんと手をかけて育てている。しかも夫もそれなりに素敵な男性」みたいなイメージを強力に提示する。

それが、『VERY』的、現代版良妻賢母の姿です。

……なんか池上さん、笑ってらっしゃいます？（笑）。

いえ、すみません。大丈夫です（笑）。なんとなくイメージが湧きました。

でも正直、それは女性から見てもなかなか苦しい世界観だと思いますよ。そんな超人的な女性、現実にはほとんどいないから。どんなに憧れても、「なりたい自分」と「なれない自分」の狭間で苦しくなっちゃうんじゃないかしら。

あそこに当てはまらない30～40代はたくさんいるわけで、そこで「完成形」みたいなものを隙間なく提示されてしまうと結構キツい。もちろん、そうしたキツい系の読者に向けた記事も組んでいて、編集部は多様性に配慮したバランスを気にかけているんだな、ということもわかるにはわかりますが、でもね、という……。

その話の背景につながるように思うのですが、日本ではいろんな場面で「性別で分ける」ことが多いように感じます。

私が留学した高校でも、男女の境界線がすべて明確に分かれていました。ちょっとでも男子と会話すると、すぐに「カップルなんじゃないの」と言われたりする。ドイツではむしろ男友達と話すことが多かった私が、日本では男子とほとんど話すことなく終わりました。まあそれも学校や地域によりけりでしょうけど、一般的に日本には明確に「男性文化」「女性文化」があると感じます。

「女子会」とか「女子力」とか、「文系女子」とか「リケジョ」とか、「女子」強調系の単語が多いですよね。「女子として、女性として」これが好きでしょう、とか「女性なら」こういう振る舞いが好ましいよね、みたいな暗黙の了解が存在する。あるいは「女性」となった瞬間、いきなり「輝く」という冠（かんむり）がついてしまったり。それは別に良し悪しではなく、すごく興味深い現象だなと感じているんです。

ドイツにはそういう表現はない？　日本みたいな女性誌も？

言葉はないです。女性誌はありますけど、ほぼゴシップ誌ですね。「○○の王室のメンバーは、今何をしているか」とか、「あのスターの近況」とか、完全にそういう内容です。日本的なファッション誌、女性ライフスタイル誌的な日常文化媒体は存在しないんですよ。

だからすごく驚いたんです。「幼稚園に子どもを迎えに行くときに、何を着たらいいのか」という特集ページの存在に。「お迎えコーデ」って言うんでしたっけ。

やっぱり、池上さん、笑っていますね。

いやいやいや、笑ってないです（笑）。

いや、本当に衝撃だったんです。日本の女性は、そんなことまで気にしなくてはいけないのかと。しかも読むと結構面白い（笑）。半年間とか1年間かけて、徐々に崩していくんですよね。最初はとにかく紺色。スーツまではいかないけれど、わりとかっちり目のセットアップを着ていき、周囲のママ友たちに慣れてきた5月あたりから、白色を入れていく。

だけど、あくまで基本は紺色なんですね。なぜ黒じゃないんだろう？

黒はやはりフォーマルになりすぎるんじゃないですか？　入学式や卒業式ならともかく。

冠婚葬祭に近づきすぎてしまうんでしょうね。

なるほど。紺色が絶妙なバランスというか。でもそれは要するに、母親になっても制服が必要という話でもありますね。周囲から浮かず、空気を読みつつ、「子育て」というお仕事を今一生懸命やっていますということを周囲に示すための制服。

好感度も必要。清潔感も必要。だけど、一人だけが目立ってはいけない。だからファッション雑誌といえども、一種のマニュアルなんですよ。大人になってもルールが欲しい。それに従っておけば、とりあえず安心というアドバイスが欲しい。パリ在住の知人に言われたことがあります。「日本に帰国すると、今流行っているファッションがすぐにわかる。みんな似たような服を着ているから。パリに来る観光客の女性も然り」と。

日本だと、「専業主婦」に憧れる女性が多いと聞きます。実際に私が学校で教えていたときにも、将来なりたい職業を聞いたら、ある学生がドイツ語で明言したんです。「私は専業主婦になりたい」と。

それを聞いて、深く考え込んでしまったんです。「ならば、どうして今ここに座っているんだろう」と。高い授業料を払って、国際学科に通う意味は……と。

私も同じような経験がありますよ。猛勉強して東大に入った女の子に「将来の夢」を尋ねてみたところ、「うちのお母さんが私にいろいろやってくれたように、専業主婦になって、子育てをしたいです」という答えが、なんの屈託もなく返ってきた。

ほぉぉ……その方法で自分が東大に入れたから、自分も東大に入れる子どもを育てたいと。

国立大は、それこそ多くの税金が投入されていますが……。

そこなんですよね。それこそあなたの育成にたくさんの税金が投入されているのだから、それをいい感じに社会に還元する、という発想にならないのかと。スミマセン……それこそすごくドイツ的な発想ですけど（笑）。

もちろん、専業主婦が大変で立派な仕事だというのは、当然すぎる前提です。子どもを産んで育て、家政を毎日支えるのは想像以上のハードワークですし、次の世代を育てることは立派な仕事です。でも職業観と深く照らし合わせると、何でもありというわけにはいかない、次元が異なる評価基準がそこに厳然と存在する。

あといささか極端な話ですけど、将来結婚できるか、子どもを持てるのかというのは、自分の意思だけでは実現できない。「頑張ったから」得られるものでもない。それを踏まえて専業主婦を「将来の夢」に据えて生きていくって、やはりどうなんだろう。実は非常にリスクの高い人生じゃないかなと思ったりもするんですけど。


そのあたりの問題も含め、私は「幸福である根拠」をどこに置くか、というのがキーポイントのような気がします。

男性、女性に限らず、誰もがみな、まずは経済的に、次に精神的に自立していることが幸せな人生を歩むために必要なことだろうと私は考えています。専業主婦で夫が急死したらどうするの？　と思いますし、「手に職」は人生一番のリスク管理だと思います。

「子ども」か「キャリア」かになりがちな日本では、仕事と家庭生活の両立が難しい。その理由はある程度、男女や夫婦の役割分担意識の強さに求められるけど、それがすべてではないようにも思います。例えば、みなが同じような時期に同じものを手に入れることが「幸せ」だとか「勝ち組」だとする評価基準も、様々なことの障害になっている気がします。

要は、ある時期に思うようにフルに仕事をできなくても、「続ける」ことや、子育てなどのブランク期間から「復帰しやすい」環境づくりが大切だろうと思うんです。それがやがて、働き方に関しての自発的、積極的な想像力にもつながっていく。

自分が大変だったり苦しかったりするときは、隣の芝生が青く見えがちですね。例えばインスタグラムとか、人生うまくやっている系アカウントの自慢めいた理想的イメージばかり目につくたりすることもあるでしょう。逆に私から見ると、真に充実した人生を送っている人は、わざわざインスタで自慢なんかしないでしょ、と穿った見方をしますけど（笑）。

なので、他人と自分を比べないことや、理想を追い求める苦しさの中でも、自分の人生を生き抜くことこそが大切じゃないか、と改めて思うんです。

男女の役割と「ガラスの天井」

積極的に「自分のやりたいこと」を追求するのではなく、外部から与えられたいくつかの条件を全部クリアすることで「標準的な幸福」を得る。しかも、その条件クリアをどれか一つでも失敗すると大きな不幸感に包まれる、という風潮が最近とみに蔓延しているように見えて、私はそれが気になる、というか気に入らない（笑）。

女性の権利の話にも通じることですけど、多様な可能性を「選択」できれば、もっと生きやすくなるように思うんです。女性にとって生きやすい世界というのは、本来、男性にとっても生きやすい世界のはずです。例えば男性が育児休暇をとるのは、女性のための負担軽減にもつながるけれど、絶対、男性にとってもプラスのメリットがあると思うんですよ。

そもそも仕事って、男女で一緒にやった方が絶対に楽しいし効果的だと思いますし。

そういった観念では、日本は過渡期なのかも。昔から「女の子なんだからおしとやかに」とか、「男の子なんだから泣かないの」とか言われたりしたものです。すでにそういうところで性差を過度に分けているといえばそうかもしれないけど、ドイツではどうですか。

確かに昔はそういう性差表現も目立った気がしますけど、今はあまり聞きませんね。というか、「インディアンも泣かないんだから、あなたも泣かない」みたいな謎表現が多用されていた。ネイティヴアメリカン蔑視のニュアンスは確かに無さそうだが、「泣かない」という決めつけはどうなのか（笑）。

なにそれ（笑）。そんな言葉があるんだ。

そういえば、日本だと「インディアン、嘘つかない」ってキャッチコピーがありましたね。

ありましたね。昔コマーシャルでやってました。

やはりインディアンなのか。しかも、日本とドイツでなぜ微妙に違うのか（笑）。

多分アメリカの西部劇から来ていますよね。

あ、実はドイツ人も西部劇大好きです。馬が必ず登場するから（笑）。日本ではあまり知られていませんけど、ドイツ人の馬好きレベルって、ちょっと尋常じゃないですから。

まあ現代的視点から見ると、西部劇は一般的に、ネイティヴアメリカン迫害の歴史を無視、あるいは美化しているから（以下略）というツッコミに耐えられないので、あまり無邪気に称賛できないコンテンツになっているだけですが、それはそれとして。

ズレた話を元に戻しますと、例えばテレビの仕事とかで「女性としての意見をぜひ聞かせてください」とコメントを求められるとき、ちょっとした違和感がありますね。つい、「女性としての意見なんか持っていません。私の意見はありますけど」と思ってしまいます。

ああ、そういう瞬間ありますね。私は以前、「主婦としてのご意見を」と言われたことがあります。やはり「主婦の意見はわかりません。私の意見しか話せません」と答えちゃいました。

最初から、何かの引き出しに入れられてしまっている感じがする……んですよね。

カテゴリー分けされてますよね。「女性枠」とか「主婦枠」みたいな。

あとは「外タレ枠」とか……。まぁ、私の存在自体、ちょっと何枠かわからないところがあるでしょう。実はメディア的に扱いにくい存在なのかも（笑）。

「女性らしさ」ということで言えば、ドイツでは一国のトップが女性です。日本に比べると、だいぶ社会での男女平等は実現してきているように感じますが。

そう見えるかもしれないけれど、まだまだなところはあります。一般企業でも、男女ではやはり待遇差や給与差があるんです。

「イコール・ペイ・デイ（Equal Pay Day）」ってご存じですか？　訳すと「同じ賃金を得る日」。今なお男性の給料が女性の給料よりも高水準である現実を可視化しようと、ＢＰＷ（ビジネス・アンド・プロフェッショナル・ウィメンズクラブス）というドイツの女性団体が始めたキャンペーンです。

考え方はシンプルで、「男女ともに同条件で1年間働き、そこで男性が得た賃金に対し、女性はあと何日分働けば追いつくのか」を計算するんです。

２０２０年、日本はこの「イコール・ペイ・デイ」が5月6日でした。つまり日本男性が1年間稼いだ額に追いつくために、女性はさらに1月1日〜5月6日分を働かなくてはならない。約4カ月分の給与差だから、かなりの開きがあるということです。

ではドイツはどうかといえば、3月16日。実はあまり胸を張れない結果です。だけど他の国を見渡しても、アメリカが3月31日、フランスが3月25日、スイスでも2月22日となっている。男女格差が少ないと思われている国でも、それなりに開きがあったりする。

あと、「ジェンダー性それぞれに対する期待」も存在する。例えば企業の管理職の場合、男性は自分をたくさん積極的にアピールする方が「賢い」「行動的」「有能だ」と評価されやすく、女性はなるべく口数が少ない方が「デキる女」だとみなされやすい。

まさしく「ジェンダーバイアス」ですよね。日本だけでなく、ドイツにも他の欧州諸国にも残っている。だから、いわゆる「ガラスの天井」も健在ですし、世間や家庭における古風な男女の「役割分担」の感覚も、依然として残っているのです。

日本でジェンダーバイアスがこれだけ問題になったのは、東京オリンピック組織委員会の会長だった森喜朗氏が、「女性が入った会議は長引く」とか「組織委員会の女性たちはわきまえていらして」と発言したことがきっかけですね。女性たちも「そうか、男社会の中で自分もわきまえてしまってきたのか」と改めて気づいた。

東京オリンピックをめぐる種々の動向と混乱は、これまでの時代遅れの日本の縮図だった気がします。これをきっかけに、日本社会がもっと多様な観念を受容できるようになればいいなと思うんですけど。

女性たちがわきまえた態度をとるのは、男社会で仕事を円滑に進めるために身につけた技なんだと思います。オトコたちの機嫌を損ねずに自分たちのやりたいことを実現するにはどう振る舞ったらいいか、というのは私も含め、ある意味、男社会を生き抜く知恵だったんじゃないでしょうか。

とはいえ、そう振る舞っている自分、男性たちに好意的に思われている自分が好きな女性がいるのは事実で、しかも、それにはそれで立派な存在理由がある。こうした状況をわかった上で、さあ、どんな社会を目指していくのか、という話になるように感じます。一面的な正論だけでは通らないのが世の中の難しさでしょうね。

第6章

EU 首脳会議でのメルケル首相
2021 年 6 月 25 日

写真：代表撮影／ロイター／アフロ

政治のあり方を考える
──「非リア充の時代」が来るのか？

6-1 政治のあり方を考える

●日本の政治家は
世襲が多い

●日本の歴史認識。
自民党政権では
「謝罪」はしない

●原爆資料館で感じた違和感。
「加害」の痕跡が
日本国内にはない

Japan

■ドイツの政治家には
大学の博士号をもつ人もいる

■ユダヤ人や周辺諸国に
「謝罪」するのは、
地政学的にメリットも
あるから

■ドイツには
「加害」の跡が
至る所にある

■ドイツは国内に
「負け組」を抱えている

■東西ドイツのひずみが、
右派台頭に
つながっている

Deutschland

6-2 ドイツの政党と議会

政党　ドイツ

●ドイツ・キリスト教民主同盟（CDU）
CDU
- 党員 427,173 人
- 2017 年の選挙結果：26.8%

●ドイツ社会民主（SPD）
SPD
- 党員 463,723 人
- 2017 年の選挙結果：20.5%

●ドイツのための選択肢（AfD）
Alternative
- 党員 29,000 人
- 2017 年の選挙結果：12.6%

●自由民主党（FDP）
Freie Demokraten FDP
- 党員 63,050 人
- 2017 年の選挙結果：10.7%

●左派党
DIE LINKE.
- 党員 62,182 人
- 2017 年の選挙結果：9.2%

●同盟 90 ／緑の党
BÜNDNIS 90 DIE GRÜNEN
- 党員 65,257 人
- 2017 年の選挙結果：8.9%

●キリスト教社会同盟（CSU）
CSU
- 党員 141,000 人
- 2017 年の選挙結果：6.2%

参考：ドイツ大使館 HP「ドイツの実情」

歴代の連邦首相　ドイツ

連邦首相

年	連邦首相
1960	コンラート・アデナウアー（CDU）1949－1963
1965	ルートヴィヒ・エアハルト（CDU）1963－1966
	クルト・ゲオルク・キージンガー（CDU）1966－1969
1970	ヴィリー・ブラント（CDU）1969－1974
1975	
1980	ヘルムート・シュミット（CDU）1974－1982
1985–1995	ヘルムート・コール（CDU）1982－1998
2000–2005	ゲアハルト・シュレーダー（SPD）1998－2005
2010–2015	アンゲラ・メルケル（CDU）2005－

日本：同時代を比較すると、日本は、東久邇宮稔彦王内閣（1945年8月17日～）から菅義偉内閣（2020年9月16日～）まで、34人が内閣総理大臣の任に就いた

ドイツ 連邦議会

連邦議会の最低議員数は598人。これに通常、いわゆる超過議席と調整議席が加わる。2017年に選挙が行われた第19期連邦会議には709人の議員が所属している。

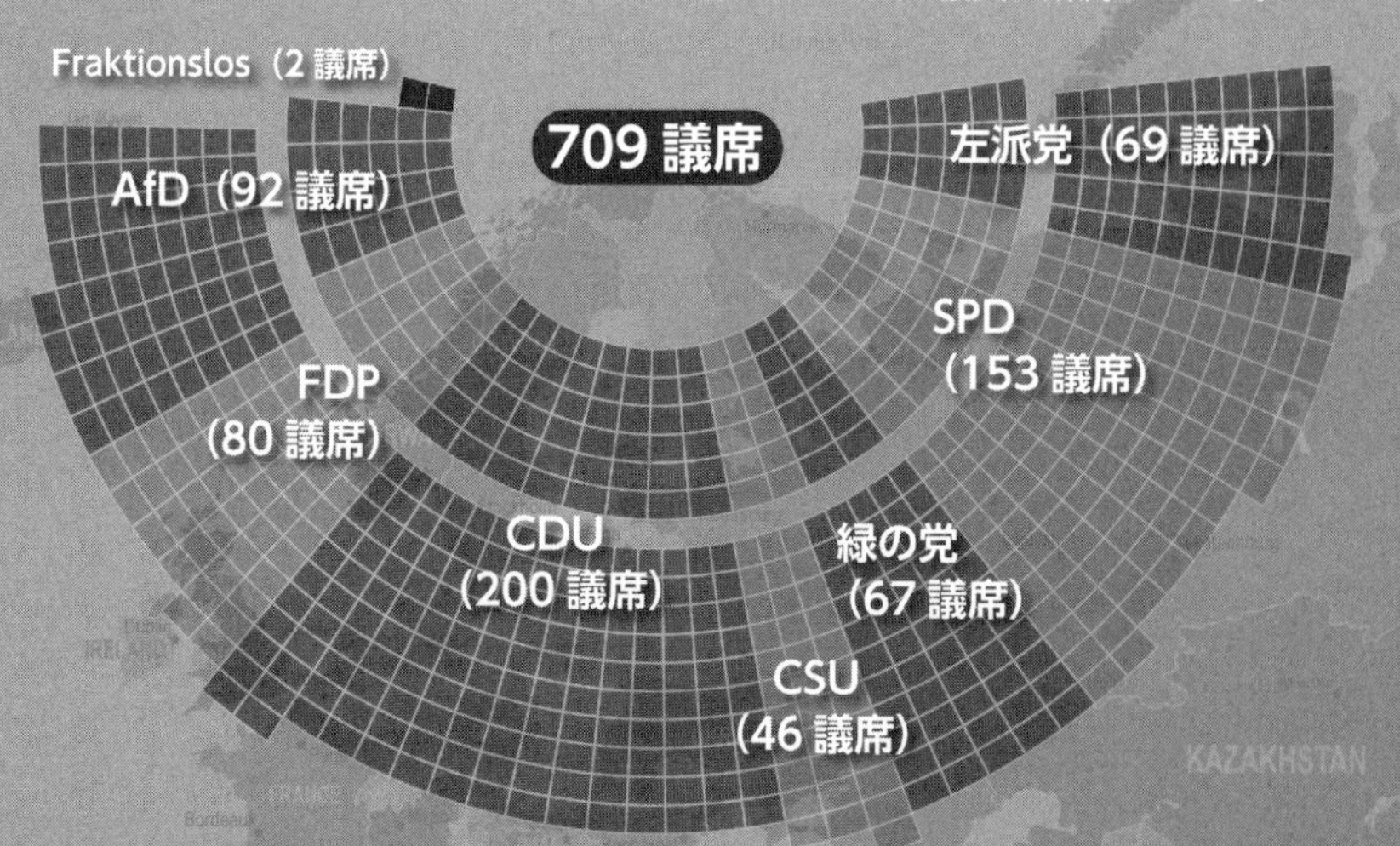

ドイツ 連邦参議院

連邦参議院は、5つの常設憲法機関の1つであり、州を代表する。連邦参議院には州政府の69の代表が所属する。どの州も少なくとも3票、人口の多い州は最大6票を有する。

バーデン＝ヴュルテンベルク州 6
バイエルン州 6
ベルリン州 4
ブランデンブルク州 4
ブレーメン州 3
ハンブルク州 3
ヘッセン州 5
メクレンブルク＝フォアポンメルン州 3
ニーダーザクセン州 6
ノルトライン＝ヴェストファーレン州 6
ラインラント＝プファルツ州 4
ザールラント州 3
ザクセン州 4
ザクセン＝アンハルト州 4
シュレースヴィヒ＝ホルシュタイン州 4
テューリンゲン州 4

メルケル首相のラストパート

メルケル首相が21年9月に任期を終え退任します。２０００年から18年まで「ＣＤＵ（キリスト教民主同盟）」の党首を務め、２００５年からは首相としてドイツを牽引してきました。

ドイツの取材では、メルケル首相を直接拝見する機会もありましたけど、間近で見ても素敵な方でオーラがありましたよ。それでいて近づきがたくなく、どこか温かい感じで、長期政権を担うだけのことはあるなと感じました。

彼女の評価はその時々でかなり紆余曲折を経てきました。ちなみにコロナ問題直前ではメチャクチャ評判悪かったですね。２０１３年の連邦議会選挙で彼女は「黒いゼロ作戦」なるものを公約に掲げて再選されました。黒は黒字の黒。国として新たな借金をつくらず、むしろ返済していくという目標です。その結果、確かに14年以降のドイツ財政は黒字続きでした。でも、ケチケチ主義で有名な（笑）ドイツ人ですら「そこまでやるか！」という徹底緊縮路線だったので各方面から怨嗟の声が。しかも15年には「難民危機」が発生しています。ドイツ国民に倹約を強いて、その恩恵を難民に向けるのか！　という批判もあった。

しかし彼女のドケチ路線が、コロナ禍では吉と出ました。これまで散々倹約しまくって無借金だったからこそ、思い切った支出や新規の借り入れが可能な状態だったのです。

2015年の欧州難民危機のときドイツを取材しましたが、シリア難民たちは、ドイツで難民申請をすれば認定の判断が出るまでの間、住む場所が与えられ、生活費も支給されました。これだけ厚遇なら多くの難民がドイツを目指すわけだと思いましたが、それも財政状態が良かったから。今回のコロナ禍でも休業補償などが充実しています。

一方、日本は国の借金が1000兆円を超えるありさまですから、財政状態を心配して休業補償などで思い切った手が打てない。財政状態を健全にしておくことは、こういうときのためなんだと痛感しましたね。

メルケル首相、コロナ禍ではかなり決然とした強いメッセージも発していましたよね。ひとりの生活者として国民の心情に寄り添った発言が心に染みました。

これまでわりと冷静なスタイルを維持してきましたけど、コロナ禍ではかなり「情」を見せながら訴えていましたね。

20年の秋には感染状況が厳しいということで、より踏み込んだロックダウンをするべきだと議会で強く訴える姿が印象的でした。経済的影響を恐れて、ドイツ各州でなかなか一致した方針が定まらなかったからです。

ドイツは連邦制ですから、各州トップの州首相の力も強い。いくら連邦政府の首相が鶴の一声を発しても、彼らがウンと言わなくては、話が進まない局面もあるんですよね。

ロックダウンが先延ばしされた際のメルケルの言葉はインパクト大でした。「2週間後、私たちはみんな後悔するでしょう」と。そしてまさに2週間後、感染者数の増加を目の当たりにしてすんなりロックダウンが決まりました。でも、時すでに遅しの感がありましたね。

あのときは、すごい迫力でした。怒っていましたよね。

本当に怒ってました。彼女の演説の途中で野党の議員からヤジが飛ぶんです。「科学的エビデンスなんて、どこにもないだろ」と。

そこでメルケル、スピーチを止めて「いや、ちょっと待ちなさい」とビシッと場を制し、論理的に科学的に、コロナ対策について説明したんです。

「科学的」というならば、彼女はそもそも科学者ですからね。

そう。彼女がなぜ科学者を目指したのか。旧東ドイツで育ち、大学で物理学を学んで博士号を取得しています。だけど、彼女のお父さんはプロテスタントの牧師です。旧東ドイツの体制で基本的に宗教は邪魔な存在で、だからよく彼女も大学まで進学できたなと個人的には思ってます。

つまり共産主義の国では、文学や歴史など人文系の成果は政府の意向で都合よく「解釈」を捻じ曲げられる可能性がある。けれど物理学的な法則性は絶対的で、政府の「意向」がいくら強くても曲げられない。あの演説の際も「だから自分は物理学を学んだわけで、そういう無根拠な批判はやめてほしい」と言い切って、拍手が起こっていましたね。

さすが、かっこいいですね。

素晴らしいです。もっとも、科学法則も捻じ曲げられると考えるトランプさんみたいな人もいますけど（笑）。彼はコロナウイルス対策に、消毒液を注射したらどうか、なんてすごいことを言っていました……。

メルケル首相ってすでに「最後の一年」だったんですよね。政治家として首相として、もはや失うものがない。だから逆に、これまでずっと抑えてきた感情的な要素を躊躇なく発したのかもしれません。若い頃からいろんな面で戦ってきたから、彼女の言葉には重みがあるんですよね。

彼女が政治家を目指したのは、まだ若い頃でしたよね。

ええ、たしか35歳でした。今から考えると若かったですよね。

ちょうどベルリンの壁が崩壊する直前に、旧東ドイツのあちこちでワーッと民主化運動が起きました。彼女もそのときに政治的活動を開始しています。

彼女は旧東ドイツの体制の下で、ずっと耐えていたんだと思うんです。物理学の研究ならば、この状況でもなんとかやっていけると。でも、ようやくその体制が揺らいだ。ならば自分も動き出そう、という思いがあったように思います。

長期政権のドイツと、短期政権の日本

ドイツの政治と日本の政治を比べたとき、一番の違いは国のトップである首相の在任期間でしょうか。ドイツでは戦後、西ドイツ時代も含めて8人の首相が登場しましたが、日本では35人が総理職に就いています。

確かにドイツには長期政権的な傾向がありますね。戦後ドイツのトップは基本的に外交重視の姿勢でここまで来たので、周辺国から重宝されて「立てられる」面もあり、結果的に長期政権化するのかなと思ったりします。だいたい、内部よりも外部からの評判のほうが良い感じで（笑）。

そもそも、日本の政治家とドイツの政治家を比較するのは難しい。ドイツは連邦制で政治や経済、産業の要点が各地に散っていますが、日本は基本的に東京一極集中型です。日本では地方の要望を中央に伝える機能が重要で、それを政治家が担っている印象があります。だから日独の議員が会談しても、実はいまいち話が嚙み合わないんじゃないかなと思ったり（笑）。

ただ、政治家になる経緯や動機の面で日独を比較すると興味深い。

日本の場合「家業」みたいに代々政治家という人や、まず秘書から始めるルートなども存在しますが、ドイツの政治家で「もともと政治を目指していた」という人は少ない気がする。むしろ多いのは、大学で何かを研究し

て博士号を取得してから政治家に転身するケース。ドイツって教養層が強い国なので、博士号を持っているとそれだけで社会的な信頼度が高くなり、地位を確保しやすいんです。

日本では、博士号が政治家ルートにつながるということはあまりないですよね。

国会議員で博士号を取得している人は少数派ではないでしょうか。そもそも博士号が必要で重視されるのって、医者など一握りの職種ですよね。

もちろん「博士号を持っていれば政治家にふさわしい」という話ではないんですが、論理的なアプローチで情報を収集・整理・分析するという一連の手順は、実際、おそらく政治家に必要な資質だとは思うんです。「論理的に説明する」技術は、ドイツ社会では非常に大切なポイントです。コロナ対策にしても、ただ「やります、やるんです!」とアピールするだけではダメで、「どうしてこれが必要なのか」と論理的に説明する能力が求められる。

「筋が通っている」ことが大切なんですね。

それにしてもドイツ人の「論理的思考」は、どうやって出来上がったんですかね。何か歴史的な背景があるはずだと思うんです。ちょっと「文化の違い」だけでは納得できないものがある。

謎ですよね（笑）。よく言及されるのは「ナチズムへの反省でこうなりました」だけど、実際にはそれだけではない。もっと以前からの「プロイセン的」「プロテスタント的」とか呼ばれるキャラ性にも論理的要素が濃い。総合的に見て、18世紀の啓蒙主義あたりの影響が強い気がします。

ドイツ語自体も論理的なんでしょうか。第二外国語として少し齧ったただけの私としては、とにかく苦労したんですが。

ええ、たくさんの文法的ルールを学んで、ようやく話せる言語ですよね。教える身になって、それは深く感じます。

ナチスドイツのユダヤ人政策も、ちょっと驚くくらいの論理武装です。ただ「嫌いだから殲滅する」じゃない。彼らなりに「ユダヤ人はこういう特徴を持っているから」とか、国民に力説して納得を得ようとするエネルギーがとにかくすごい。

ユダヤ人の殲滅計画を見ると、非常にシステマティックですよね。数百万人もの人々を集め、何カ所もある絶滅収容所に収容していく方法などが、ものすごく緻密で計画的。恐ろしいのですが。

ホロコーストといえば列車による大規模輸送が有名です。貨車にも人々を押し込んで、遠方の収容所まで運んでいた。でもそこですごいのは、当時のドイツ国鉄にきちんと「運賃」を払っている点なんですよ。しかもなんと団体割引を適用していたりする。わかります？　このヤバい折り目正しさというか生真面目(きまじめ)さ……。

信じられない几帳面さですね。虐殺という恐ろしいことをしているのに、そういうところはちゃんとルールを守る。

そういう一事をとっても、だからこそドイツでは当時のあらゆる記録が残っているんです。いつどこで、どれだけの人々を集めて、どういう手段で虐殺していったのか、敗戦間際の隠蔽工作を超えて残っている。だから闇が深いんですよ。ドイツ人の真面目さというのは。

論理的な真面目さが、平時には「有能な政治家」につながるけれど、いざとなるとこういうよくない方向にも発揮されるという……。だって、ナチスドイツの緻密さも驚きますけど、逆にすべてが終わった後、今度はその負の歴史をずっと保存していく、そのエネルギーもすごいですよね。

強制収容所全体を博物館として、遺品や遺髪もすべて残していく。

よくB級ホラー映画に登場するマッドサイエンティストって、たいていドイツ人なんですよね。名前でわかる（笑）。でも、現実に発生する論理サイコ系事件でも、犯人がドイツ系の名前だったりする率が微妙に高いから、なんとなく腑に落ちてしまう（笑）。ドイツ人ならやりかねない。科学のためという大義名分の下に、手段と目的を逆転させながら斜め上に突っ走った実績を持っていますから。

そして「日本」は？

でもそのドイツ人の真面目さが、戦後の歴史認識や歴史教育につながってもいます。ホロコーストの対象となったユダヤ人のみならず、侵略していった周辺のポーランドなどに対しても、真摯に謝罪して関係再構築に励んできました。その姿勢があってこそ、現在のEUで中心的存在を担っているのではないでしょうか。

確かにそういう面はありますが、同時に注釈も必要だと思っています。そこには政治性も濃厚に窺われるわけで。

周囲を海で囲まれている日本と違い、国境を9カ国に囲まれているドイツでは、地政学的条件からも近隣諸国との関係をうまく維持しておかないと、それこそ明日の生活も保障できない。敢えて積極的に謝罪していくことで、自らの立ち位置を確かなものにしないといけない思惑も働いてきたわけです。「積極的土下座戦略」という言い換えも可能かもしれない。

だからエマニュエル・トッドとかの「ドイツはナチ謝罪をエサに、善人面しながらエグい欧州支配を固めている！」という批判はわりと当たっているんですが、トッド先生の場合、「だから今こそフランスが！」という説得力の弱さが哀しい……（笑）。

日本については、そこにアメリカとの特殊な関係が介在していて、かなり様相が異なる。しかもアメリカとの「信頼」関係や列強パワーバランスがどう変化するのか、かなり不透明な時代に突入している。それを踏まえて、日本はアジア周辺国との間の〝歴史問題〟をどう解決するつもりなのか、同じ敗戦国として気になります。

「日本もドイツも過去の過ちについて謝罪したのに、何が違う？」と、時々聞かれます。これはドイツの戦争責任での「反省と謝罪」の構造をよく見る必要がある。例えばヴァイツゼッカー大統領の有名な「荒れ野の40年」演説。あれって「我々はとんでもない過ちを犯した」と120％主張している一方、「ユダヤ人の皆様ごめんなさい」とは一言も述べてないんですね。ユダヤ人に向けたスピーチではなくて、ドイツ人に向けたスピーチだったからです。ホロコーストは巧妙なシステム的犯罪であったため、国民一人ひとりは直接誰かを殺したり迫害したりしなかったとしても、システムの歯車として機能していたわけです。社会的な責任があるということです。ただ、戦後40年にもなり、戦争を直接知らない世代が大人になっていました。ゆえにこのスピーチの内容は「罪の自覚」＋「再発防止策の主張」の組み合わせで、謝罪できる相手が不在の中、ドイツ人が自覚し、今後も向き合わなければならない課題を出しているんですね。

そもそもドイツ人にとって「謝罪」とは、被害者への直接の謝罪、賠償金、罪の自覚と再発防止（＝反省）の三点セットで成立するものです。すべてが揃っていないといけません。賠償金に関してはまだ議論の余地が残されていて、支払いが続いているのですが、大きいところに関しては「ドイツ最終規定条約」で話がついたと主張することが可能です。このあたりにはドイツ人の法的な思考が色濃く反映されています。

日本の場合、いや極東の場合というべきか、そこにエモーショナルな要素が介在して決着がこじれるという印象があります。例えば日韓関係で「もうその補償は済ませたはずなのに」的な蒸し返しで揉めることが目立つわけですが、ドイツだと「それはもう済んでます」ときっぱり主張しやすいし、実際、そこで揉めることはない。日韓の問題は戦後の冷戦構造下、アメリカの意向でそのへんが強引にウヤムヤにされた反動がきている面もあるから単純比較できないけれど、やはり「法的思考」の存在は、外交面でも内政面でも重要なポイントであるように感じます。

ただ、ドイツ人の目から見ても「謝罪」と「反省」は永久的な課題として残らざるを得ないと感じます。加害者側が謝罪を自ら打ち切ることは不可能だからです。だから、だいたい大統領の役目なんですが、国のトップがドイツ人を代表して、被害国の記念式典などで謝罪の意を述べますね。また、反省についてはもちろん加害者の立場でもするが、同じ過ちを繰り返さないことは将来世代のドイツ人のためにやっている印象が強いです。ドイツ人の中では、この三点さえクリアであれば、けっこう無敵状態なんです。

以前、日本の政治家がスピーチで「次世代にこれ以上負担をかけるのはやめましょうね」と述べましたが、ドイツ人からすると、せっかく「謝罪」も「賠償」もできたのに、三つ目の「自覚と再発防止（＝反省）」を無駄に放棄しちゃった感が大きい。よって、謝罪として成立しなくなってしまい、外交戦略的に見てもマイナスだという印象を受けます。

日独の戦後の態度について、私が以前から思っていることが一つあるんです。それは、ドイツ国内には「加害者」としての痕跡がたくさん存在しているということなんです。

強制収容所や絶滅収容所はポーランドのアウシュビッツなどの国外のものも有名ですが、ドイツ国内にもいくつも残っていますよね。先ほどの国鉄の記録もそうだし、ベルリンなどを歩くと「つまずきの石」もあります。かつてそこに居住していたユダヤ人の氏名や生年月日、いつ退去させられたかなどの情報が、真鍮ブロックに刻み込まれて、石畳にはめ込まれている。国会議事堂のすぐ近くには、虐殺されたユダヤ人のための巨大な記念碑もあります。戦後75年以上たっても、日常生活の中で、ふと視線を転じれば、過去のドイツ人の行いを思い返す痕跡がたくさんあるんです。

一方の日本では、日本人が「加害者」となった痕跡って、国内にほとんど何も残っていないんですよ。中国大陸や朝鮮半島に行って戦争行為に及んでいるから。

代わりに日本国内に残っているのは、日本人が「被害者」になった記憶だけなんです。長崎や広島の原爆ドームもそうだし、東京大空襲の犠牲者の追悼碑などもそう。だから、日本人の場合、よほど意識的に勉強したり想像したりしないと、「加害者」としての歴史を思い返しにくいんです。

前に池上さんにその話を聞いて、なるほどと思いました。私も全然気づかなかったんです。

もっとも日本人も、謝罪する気持ちがなかったわけではないと思うんです。ただ、それ以上に強かったのが、「もうつらかった時代を振り返りたくない」というような思いだった気がするんです。本人たちも思い出したくないし、さらにそれをあえて子や孫の代にまで伝えたくない。それよりも前を向いて歩いて行こうよというような。

それはわかる気がします。相手の気持ちを大切にして、他人の傷つくところはそっとしておいてあげる。戦争体験者に対して、現地で何があったのかを問い詰めたりはしないし、世代を超えて「敢えて記憶に残さない」のは、日本的な繊細な「心遣い」でもあると思うんです。

けどその決着は一方的で一面的、ともいえます。そもそも「よそ者の被害者」を視界の外に追いやるのは正しいのか？
実はそのあたりが、ドイツ人の論理＋哲学性との違いのコア要素かもしれません。たとえ肉親が苦しもうと、実際にあったことは直視すべきだという姿勢が日本に比べて強い。実際、絶滅収容所の看守だった親衛隊員の子どもが、面と向かって父親に真意を問うルポルタージュ番組とかも結構あって、ドイツ公共放送で制作された番組が日本でも放映されていたと聞きます。
※ＮＨＫスペシャルで放映された「父と子の対話～元ナチス党員家族の50年～」などのこと。

誰に配慮するか、どこで配慮するかは、すごく難しい問題ですよね。気を付けないと、配慮しすぎて、言うべきところで口を閉ざすことにもなりかねない。すごく優しい日本人なのに、なぜか背を向けてしまうような瞬間が、日本では往々にしてある気がします。

日本って空港とか病院とか、優しい「配慮」に満ちていると思います。壁がパステルカラーだったり、病院のソファも低めだったりして、高齢者や障害者にもすごく配慮されている。日本の道路の点字ブロックなんかもすごいですよ。ああいうのはドイツにはありません。
でも、配慮しすぎて、逆にそういった人々の良心的「配慮」を悪用する人も出てくるわけです。

教育分野でも感じますけど、子どものために全部先回りして用意してあげる大人の存在も、この

「配慮」と少し似ていますね。全部丁寧に準備して、本人が失敗しないように、傷つかないようにしてあげる思いやりって、逆に本人からチャンスを奪うことにもなりかねません。失敗するチャンス、傷つくチャンス、自分で起き上がるチャンス、未来をどうすべきかを考えるチャンス。そういうきっかけを奪われてしまう。たしかに安寧に過ごせるかもしれないけれど、本人の成長にとってはどうなんだろうと感じます。同じことが国の政治についても言えるのかもしれませんね。

「身内である加害者」と「よそ者である被害者」が存在している

先ほど話題になった「身内である加害者への同情」と「よそ者である被害者への無視」のような精神構造がどう表出するかは、戦後代々の政権の「歴史認識」表明とも、何か関係がありそうですよね。

ありますね。1993年に戦後初めて非自民政権として、野党8党派による細川連立政権が誕生しました。このときに細川護熙総理が日本の加害の歴史について発言したんです。「私は先の大戦を侵略戦争、間違った戦争だと認識している」と。大騒ぎになりました。日本の総理が初めて戦争責任を認めたわけですから、自民党の面々は怒り狂っていましたけどね。

次いで1995年の村山富市総理のときには、戦後50年の節目として、「村山談話」を発表して、やはり日本の戦争責任を認めました。先の戦争を「植民地支配と侵略によって、多くの国々、アジア諸国の人々に対する多大な損害と苦痛を与えた」という認識を示したんです。
　ところが、その後の自民党政権では、何とかしてそういった過去の談話を薄めたいという思いでやってきています。やはり時の政権によっても、立場はずいぶんと違いますよね。

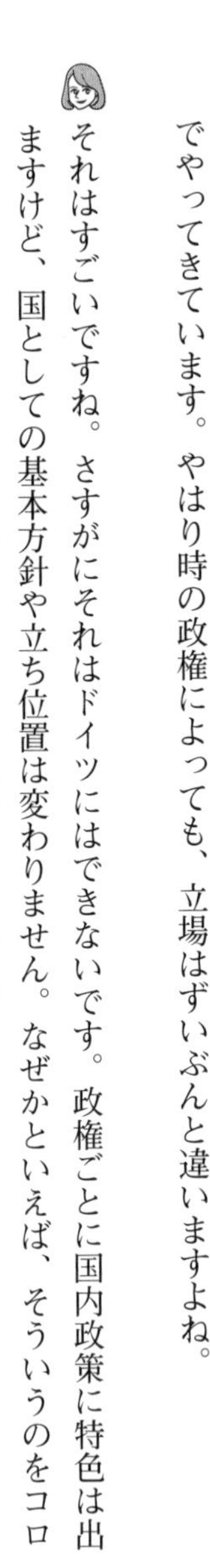

それはすごいですね。さすがにそれはドイツにはできないです。政権ごとに国内政策に特色は出ますけど、国としての基本方針や立ち位置は変わりません。なぜかといえば、そういうのをコロコロ変えると国の信用度が落ちる、という認識があるから。

日本の場合、すぐ隣に、大統領が「加害者と被害者という立場は、一千年たっても変わらない」と言った国もあるわけですからね。なかなか難しい……。

わかります。ただ、それらはどれも国内向けの政治的パフォーマンスですよね。支持率が下がったらとりあえず日本を叩いておこう、というお決まりのパターン。そこにいちいち反応しても仕方ない気がします。
　それで言うなら、毎年ロシアとかは対独戦勝パレードを延々とやっていますけど、あれに噛みつくドイツ人はいません。「まあ、ロシア人はやりたがるよね。武力による示威がいろんな商売とも結びついているし」という認識があるから。まあ、私の周囲の人たちの場合、「新型戦車がついにお披露目だ！」みたいな観点で盛り上がっていることが多いんですが（笑）。

ベルリンの壁崩壊がもたらした「統一負け組」という存在

ドイツは国外のみならず、国内でも大きな問題を抱えてきましたよね。戦後東西ドイツに分かれていた歴史もあります。二つのドイツが再び統一したのは１９９０年のことで、すでに30年の時を経ていますが、当時の亀裂はまだ埋まってはいません。

歓喜にあふれた東西ドイツ統一でしたが、それを機に「統一負け組」と呼ばれる人たちが誕生してしまった。ずっと社会主義国でやってきた人々が、一気に資本主義社会に馴染むのはやはり難しく、当初は「お花畑のような未来」と喧伝されていた生活の実態に落胆する人がすごく増えた。

資本主義に移行して即ライバルとの激しい競争に晒された結果、旧東ドイツの多くの工場や企業が閉鎖になり、大勢の失業者が出ました。

職を求めて西ドイツに行っても「旧東ドイツの人は生産性が低い」と排斥されたり、せっかくの技能を買い叩かれたりと、ろくな目に遭わない。

よく報道されている通り、様々な施策にもかかわらず、旧東ドイツ領域の経済は今なお旧西ドイツエリアより低水準のままなのですが、「自分たちは負け組の烙印を押された！」という、旧東ドイツの人たちのメンタル的な格差問題の方が、実は深刻といえるかもしれない。

メンタル格差！　それは確かに根が深そうだ……。

ベルリンの壁崩壊後、『タイタニック』という風刺雑誌の表紙が議論になりました。ジーンズジャケットを羽織った東側の女性が、キュウリを持っている図。その傍らにこんな一文が添えられている。「旧東ドイツのガービー、初めてのバナナをゲット」。

ガービーというのはガブリエラという女性名の略称です。で、旧東ドイツではバナナもジーンズもほとんど手に入りませんでしたから、キュウリを見せてバナナと偽るのも容易だろ、というネタです。ここには、当時の旧東ドイツ人一般に見られた、ある種の純朴さがあるのですが、同時にひどい「差別意識」も窺える。別の価値観で育ったグループの人たちをまるごと、あたかも無知であるかの如く嘲笑しているわけですから。

旧東ドイツ人から見ると、これまで真面目に生きてきただけなのに無知扱いされたり、価値観を無下に否定されたり、秘密警察の「悪の手先」だったかのような扱いをされたりと、たまったものではありません。

秘密警察、シュタージですね。これは国家保安省という組織の略称です。旧東ドイツの国家保安省は国外でもスパイ活動をしていました。私はスパイものが好きなもんですから、シュタージにも興味を持っておりまして。

シュタージは西ドイツに多くのスパイを送り込み、最も成功した例としては、西ドイツのブラント首相の秘書になった人物が挙げられます。西ドイツの首相が何を考え、何をしようとしているのか、旧東ドイツは手の内をみんな知っていたのですから、凄いものです。

その一方、旧東ドイツ国内では国民を監視していました。多くの協力者を養成し、知人の言動を報告させていたんです。国民の1割はシュタージの要員か協力者だったと言われています。

こんなことまでしないと国を維持できなかったんですね。そんな秘密警察が跋扈していた国と一緒になったんですから、西ドイツの人の中には旧東ドイツを上から目線で見る人もいたでしょうね。

そう、その観点からは「西側」的なマインドもわからなくはない。いきなり自分の国にもう一国が組み込まれ、これまで年金未加入だった高齢者たちの分まで自分たちが払わなくてはならなくなった。失業者の生活も保障しなくてはいけないし、東側の老朽化インフラも全部「オレたちの金」で直さなくてはならない。挙げ句に、当初不要だといわれていた「復興税」も払うことになった。

「連帯付加税」ですね。旧東ドイツの復興のため、5・5％の税金が1991年から導入されました。たしかに、アウトバーンも西ドイツ側を走るとものすごく快適なんです。でも、旧東ドイツに入った途端、穴ぼこだらけでガタガタになる。そういったインフラ整備のために、みんなが新たに税金を出し合って負担したんですよね。もちろん、旧東ドイツの人たちも出すわけですが、それでも西側の人間にとっては割り切れないものがあったでしょう。

ちなみにこの「連帯付加税」は30年の年月を経て、ようやく2021年から約9割が廃止扱いとなります。

だから北朝鮮と韓国の関係を見ると、いろいろと思い出すものがあるんです。南北統一は夢だけど、統一したらしたで、また難しい問題も出てくるだろうなと。ドイツ人にとって「ドイツ統一」は、決して過去の話ではなく、わりと現在進行形の問題だったりしますね。

韓国も一時期まで、統一機運で盛り上がっていましたからね。東西ドイツも統一したし、今度は自分たちの番だと。でも東西ドイツ統一後、ドイツ経済がドーンと落ち込んで「欧州の病人」と呼ばれるに至ったのを見て、その機運も一気に冷めていきました。

つまり当時の西ドイツって、世界トップレベルの先進国だったわけですよ。一方の旧東ドイツだって、社会主義国家の中では優等生だった。にもかかわらず、その両国が一緒になったら大変なことになった。

そうしてみると、韓国は世界トップレベルの先進国とは言えませんし、かたや北朝鮮はご存じの通り世界最貧国。その北朝鮮を今の韓国が引き受けたら、沈没しかねません。

だからでしょうね、ドイツ統一後に、韓国から研究者たちが大勢ドイツに来ていたんです。

やはり行っていたんですね。統一後にどういった社会的負担が生じるかなどを研究していたんでしょう。

「実はそんなに悪くはなかった」旧東ドイツへの郷愁「オスタルギー」

時間の経過は不思議な作用をもたらします。時間が経って薄れていく記憶もあれば、反対に時間が積み重なることで深くなっていく感情もある。

ドイツ映画『グッバイ・レーニン』（2002年、ヴォルフガング・ベッカー監督）は、「オスタルギー」をテーマにした傑作です。

「オスタルギー」とは、「オスト（東）」と「ノスタルギー（郷愁）」を掛け合わせた造語で「旧東ドイツを懐かしむ感情」のこと。「旧東ドイツは二流国っぽく扱われているけれど、全部が全部ダメだったわけじゃない。仕事もちゃんとあったし、ホームレスもいなかった。家族や仲間たちとも仲良く助け合って過ごしてきて、そこには本物の幸せがあったよね」という、古き良き時代を懐かしむ気持ち。この映画は大ヒットしました。

でも、一方では、シュタージのような監視社会でもあった……。

そうです。それがまた難しいところで、これまた映画でいうと『善き人のためのソナタ』(2006年、フロリアン・ヘンケル・フォン・ドナースマルク監督)がインパクト大でした。旧東ドイツ監視社会の心理的深淵を描いて、アカデミー外国語映画賞を受賞した作品。

旧東ドイツについての一般的な見方も、時代によって微妙に変化したことが窺えます。「統一してよかった、旧東ドイツはヤバかった」→「でも、そうはいっても旧東ドイツの体制全部が悪だったわけではない」→「やはり監視社会はよくなかった」みたいに。

そんなところに、2015年の難民危機が起きました。これをきっかけに「統一負け組」が新たな社会現象を引き起こしていきます。

「難民危機」のときは、私も実際にミュンヘンに行って見てきましたよ。ギリシャからバルカン半島をを北上してきた難民が、最初に到着するドイツの駅はミュンヘン駅です。列車が到着すると4000人くらいの難民がドッと降りてくる。駅には、大勢のドイツの一般市民が出迎えていて、すごい熱気でした。たまたまその場に来ていた、お孫さんを連れた70代のドイツ人男性に話を聞いたんです。

「私たちは1945年を忘れません。過去に私たちがしてきたことを考えると、困っている人たちを助けなくてはなりません」と話されていて、本当にごく普通の市民が、サラリとそういうことを言っていることに驚きました。

もちろん、この方のようにポジティブな思いの人ばかりではなく、難民受け入れに反対する人も大勢いることは知っています。旧東ドイツのドレスデンやケムニッツにも取材に行きましたけど、そこでは難民反対のデモも大規模に繰り広げられていました。

難民たちはすべての州に振り分けられましたから、エリアによっては外国人などほとんど見たことのない旧東ドイツの人々も、そこでいきなり異文化と接することになりました。

「自分たちは統一以降、いろんなことを我慢して生きてきたのに、外国人の難民たちは国からいろいろ補助をもらえて、歯の治療まで税金でやっている！」といった細かい不満の声も積み重なっていきました。

でも、難民振り分けに関してやはりドイツがすごいなと思うのは、各州のGDPと人口に応じ、難民の数を割り当てたことです。満遍なくとか何となくとかじゃない。すごく合理的に配置していて、ドイツっぽいなと感心しました。

ドイツって移民や難民を大量に受け入れるノウハウをすでに持っていたんですよね。つまり、かつて旧東ドイツを吸収した経験があるから。

私はフランスも取材しましたけど、現地ではかなり混乱が起きていましたね。政府の言うことを聞きたくなくて逃げ出して、パリで一人用テントを張って生活している難民ホームレスが大勢いるんです。「どうせなら英語圏で働きたい」と、ドーバー海峡を渡ろうとする難民たちが不法滞在し、スラム化している街区もありました。

でも、そういう光景をドイツでは目にしたことがない。ベルリンではかつて東ドイツから西ドイツに亡命してきた人々を一時的に収容していた宿舎を、難民居住用に使っていました。いったい何年前の建物？　という感じでしたけど、有効活用でしたね。

ドイツに入った難民の待遇も良かったですからね。トルコやヨルダンでは難民キャンプでテント生活なのに、ドイツではアパートが斡旋（あっせん）され、生活費まで毎月支給される。たしか、家賃や諸経費を差し引いた300ユーロ程度が毎月支給されたはずです。

ドイツは2013年段階で17万人の難民を受け入れていますが、14年には20万人、15年には

110万人もの難民がドイツに入国しています。

難民への不満の根底に、そもそも「難民」の定義をどこまで広げるか、という問題もありました。つまり従来の「難民」のイメージって、女性も子どもも家族総出で、命からがら紛争地帯の故郷から逃げ延びてくる、的なものだった。でも15年あたりにドイツにきた「難民」たちは、圧倒的に若い男性が多かったし、歩きスマホとかしてたり。確かに「難民らしい難民」もいるけれど、中にはより良い仕事を求めてEUに出稼ぎに来た人も少なくなかった。

だけどドイツの難民認定はきっちりしている上、何しろ難民の数が多いものだから、スタッフの手が追い付かず、長い期間にわたって申請中のまま宙ぶらりんの人たちも大勢出てしまいました。申請中は仕事にも就けませんから、暇を持て余して、不良グループでつるむようなケースもあり、地域住民たちの不満が募ったんですよね。

ケルンの大みそか事件もありましたよね。15年の12月31日に、大聖堂で有名なケルンの街で、約1000人のアフリカ系外国人による集団犯罪、女性暴行事件が起きました。

翌16年にはベルリンのクリスマスマーケットに過激派がトラックで突っ込んだ事件もありましたね。あのときは12名の死者が発生してしまった。直後に取材で現場となった教会の広場に行きましたが、キャンドルや犠牲になった方々の写真などが供えられていて、何とも言えない気持ちになりました。

本当に衝撃的な事件でした。そういった流れの中で、右派の政治・社会活動グループが誕生していきました。２０１３年には「ドイツのための選択肢（ＡｆＤ）」が、２０１４年には政治団体「ペギーダ（PEGIDA）」が登場しました。これらについては一般報道でもよく取り上げられていますね。

※ペギーダ（PEGIDA）＝Patriotische Europäer gegen die Islamisierung des Abendlandes
（西欧のイスラム化に反対する欧州愛国者主義）

歴史は繰り返す。「負け組」が急進的活動と結びつくとき……

「ペギーダ」も旧東ドイツから誕生していましたよね。

そう、ドレスデンです。もちろん西側にも難民に対して反感を抱く人はいるんですけど、特に旧東ドイツでは、統一後に長年蓄積されていた鬱屈感情と結びつき、一定数の市民の賛同を得ながら成長していきました。

そういった右派グループの取材に行きましたよ、ケムニッツとドレスデンに。ケムニッツでは毎週金曜日にデモをしていました。ドレスデンでは毎週月曜日と、決まった曜日にデモがあるんです。

ザクセン州のケムニッツは、旧東ドイツ時代の名前をカール・マルクス・シュタット、つまり「カール・マルクスの町」と言いましたね。名前からしてバリバリの旧東ドイツという印象です。別にカール・マルクスとのゆかりが実際あったわけではないんですけど。

デモの参加者たちに話を聞いてみると、やはり「俺たちは年金も満足にもらえないのに」とか、「ヤツらは俺たちの金で暮らしている」と不満を露わにしていましたね。

でも、誤解もけっこう多かったんです。ある50代の男性などは、「難民たちは生活費を毎月1700ユーロ（約20万円）ももらっている。俺たちの年金はその半分なのに！」と憤慨していました。もちろん、難民の人たちがそんなにもらっているわけはありません。でも、正しい報道ではなく、ネットで流れてくる不確かな情報をうのみにしてしまっているんですね。

ただ、前にも言いましたけど、ドイツのバランスが取れていると感じるのは、外国人排斥のデモを行うグループの隣には、必ずそのヘイトデモへのカウンター的なデモも存在することです。

あるとき、ペギーダがニュルンベルクで集会をすると聞いたので、早めに現地に乗り込んだところ、デモ開始3時間前、すでにペギーダに反対するグループが300人くらい集まっていました。彼らはデモに反対するためのデモの予行練習をしているんです。

「彼らが来たら、皆でこの笛をピーッと吹いて、邪魔をするぞ！」と、血気盛ん。

結局その日のデモは、ふたを開けてみたら、ペギーダ約30人に対して、反ペギーダ派が約300人という割合でした。

ちなみに、ペギーダのデモでよく見かけるプラカードに、「Wir sind das Volk.」というものがあります。意味としては「我々こそ人民」。「我々こそドイツ国民なんだから、我々の声を聴け。我々にこそ決める権利がある」というものですけど、この言葉がスローガンとして最初に登場したのが、まさに池上さんが先に言及していた東西ドイツ統一直前の民衆デモなんですね。

ああ、そうか。同じスローガンなんだ。しかも場所がかつて民主化のデモがあったドレスデンですね。

確かにケムニッツのデモの先頭は、「Wir sind das Volk.」と書いた横断幕を持っている人でした！

そうなんです。あの有名なスローガンを、ペギーダが「活用」したのです。

なるほど、歴史が巡ってそこに再びつながっていくわけですね。ベルリンの壁崩壊前夜、旧東ドイツの人々が勇気を振り絞って行ったデモが、今、同じ街を舞台にしながら、今度は難民排除のデモになっているというわけですか。その連続性の主張を認めるか否か。

先ほど増田さんが「ネットでの不確かな情報をうのみにしている」とおっしゃっていましたが、まさにペギーダは大メディアを「嘘つき」と呼んで敵視している。いわゆる「ネットで真実を知った」系の人を惹きつけるタイプの一面的な情報をSNSなどで拡散しながら、自勢力の拡大を図る。

大メディアは総合的に見て、旧東ドイツ人の「負け組」化を推進してしまった立場ですからね。「嘘つき」扱いされる根拠もあるわけです。だからといってそのすべてを否定し去る極端さはどうなのか。普通はそこで踏みとどまるものだけど、近年の動きは、その一線を踏み越えさせる雰囲気に満ちているのが印象的です。

ペギーダのデモにドイツ公共放送のジャーナリストが潜入した映像には、何とも言えない不気味さがあります。群衆が映っているけど、最前列の人たちの口は動いていない。なのに、背後のどこからか「嘘つきメディア〜！(Lügenpresse)」という声が、コーラスのように響いてくる。もうね、ナチや文化大革命へ進む現場ってこういう雰囲気だったのかなと。「群衆の怨念的な力」を感じました。ジャーナリストも必死になって、マイクを向けて質問するんです。

「いったい何が不満なんですか」と。でも返ってくる答えは、ほとんど同じ。「メディアは嘘つきばかり。俺たちの声を都合の良いように編集して、真意を伝えていない」「これは生放送ですよ。編集なんかできません。今こそ意見を言ってください」と言っても、はっきりした返事が返ってこない。

今の話で、2019年の日本の参議院選挙を思い出しました。安倍首相が街頭で選挙演説をしていると、一緒に正体不明の男たちがついてくる。彼らは「反日メディアのTBSやテレビ朝日は帰れ」という類いのプラカードを持って歩き回るんです。首相の演説をテレビ各局が撮影していますから、そこに映り込もうとしているんですね。無言で歩き回る。不気味でしたね。

事実ではなく、自分たちにとって都合のいい情報が「正しい情報」として拡散していく。それがSNSの恐ろしいところです。原因を端的に語ることは難しいですが、誰もが発信できる世の中になり、それが世界中を舞台にしていること。そして、その根底にあるのは、それだけ不満を抱えている人が世の中に存在することや、教育が十分に行き届いていないことだろうと思うんです。さらにその背景にあるのが経済的・社会的格差の問題。100%誰もが満足のいく社会なんてありえないかもしれませんが、理想を掲げ、それに一歩でも近づく努力をするのが政治家の使命だと思うんですね。そこには、科学的根拠や論理的思考が欠かせないのではないでしょうか。

教養層がポピュリズムを主導する、という新しいパターン

もう一つのメジャー組織「ＡｆＤ（ドイツのための選択肢）」は、新しいタイプの右派政党として注目されています。創始者が経済学の教授で、しかも幹部に教養層が多い。
従前、右派グループというのは非教養層や疑似教養層の吹き溜まりというイメージがあり、それゆえ社会のメインストリームから御しやすかったんですけど、これに関してはそうもいかなくなった。
この政党、実は２０１３年の「ギリシャ危機」の際、一部の経済学者たちが脱ユーロを唱えた運動が始まりでした。ユーロが不安定なら「統一通貨をやめる」もしくは「北ユーロと南ユーロに分ける」という、新しい「選択肢」を提唱したんです。

そんな議論があったんですね。

確かに一理あるんです。北ヨーロッパと南ヨーロッパでそもそも経済的に格差があったのに、無理に統一した歪みがギリシャ危機につながった面がある。ならば通貨を分けた方がお互いWin-Winではないかと。ただ具体化するのはかなり難しく、そうこうするうちに金融危機自体が落ち着いてきました。

ところが次に難民危機が起きたとき、ＡｆＤは見事に路線変更をしたんです。経済問題から難民問題に主張をずらし、難民をそんなに受け入れるのは間違いだ、ドイツ人ファーストを目指すべきだと主張し、人気と力を伸ばしていった。

でも、そこに今度はコロナ禍が起こりました。図らずも、彼らの主張が妙な形で具現化してしまったんです。

そうか、「国境を封鎖しろ」「新しい難民を入れるな」という彼らの主張が、コロナ禍で実現してしまったんですね(笑)。ウイルスを封じ込めるため、人々の移動が徹底的に制限されましたから。

そうなんです。想定外の事態によって自分たちが言ってきたことが実現してしまい、ＡｆＤは黙っちゃったんですよ。とりあえず言うべきことが無くなってしまったから。

コロナ禍の最初の数カ月間、彼らは静かでした。で、これからどうするのかなと思って観察していたら、またまた見事に路線変更を図った。今度は「反マスク」運動を開始したんです。

ああ、ドイツでかなり大掛かりな「マスクの義務化反対」のデモが頻繁に起こっていますよね。数千人から数万人規模で、各都市で繰り広げられています。

そう。ＡｆＤは急に「我々が民主主義を守る！」と言い出したんです。だから本当に巧いんですね。その時々の国民が不安に思うネタを上手に探り出してきて、反政府的なムーヴメントに再構築する術に長(た)けている。

柔軟と言えば、柔軟。だけど言い方を変えれば、完全な「ポピュリスト政党」ですよね。

同感です。そして毎回、論理的説明を用意している。そこが教養層参加率の高いグループとしての強みですね。
　なぜマスク規制反対が民主主義に結びつくかというと、かつてドイツはナチス政権のときに緊急事態宣言を出して、国民の自由な権利をどんどん奪っていった過去があるから。今回の規制もそれと同じだよ、と関連づけることで、国民の不安を「正当な論理ベースっぽく」煽ることができる。だから自分たちは反対デモを行い、自由のために戦うんだ。君たちも賢くなりなさい、と。

そういう理屈をこねるんですね。

だから日本で「ドイツは何故、マスク反対デモなんかやってるの？」「そんなにマスクが嫌なの？」と聞かれるとちょっと困るんです。その背景にはいろいろなドイツの闇が詰まっていて……。

いろいろ頭が痛いですよね（苦笑）。

東西ドイツ統一前後までの時代は、資本主義や社会主義、右だ左だといった思想が政治の中心にあった時代でした。でも、東西冷戦時代といわれても実感がなく、ベルリンの壁崩壊も歴史としてしか知らない若い世代にとっては、実生活をどう充実させて自分たちの子孫に未来をバトンタッチしていくかということの方が重要なのではないかと思います。

その際に大事なのは、いかに健（すこ）やかに子どもを育てていけるか。特に環境問題は生活と直結していますから、再生可能エネルギーやオーガニック食品の推進など、持続可能な社会を目指すということをスローガンに掲げている「緑の党」が、思想的な対立を超えて理解も共感もしやすく、地道に支持を伸ばしているのだろうと思います。

既成の政党は、これまでの主張を押し通すだけでは支持を得にくい。新しい時代にどう対応していくか、という具体的でわかりやすい方針を打ち立てていかないと生き残れないのではないかと思います。

第7章

「ノルド・ストリーム2」に使用される鋼管を点検する作業員ら＝2017年9月15日午前11時57分、八田浩輔撮影
写真：毎日新聞社／アフロ

持続可能な社会に向けて

——意地＆見栄で加速してもいいじゃないか！

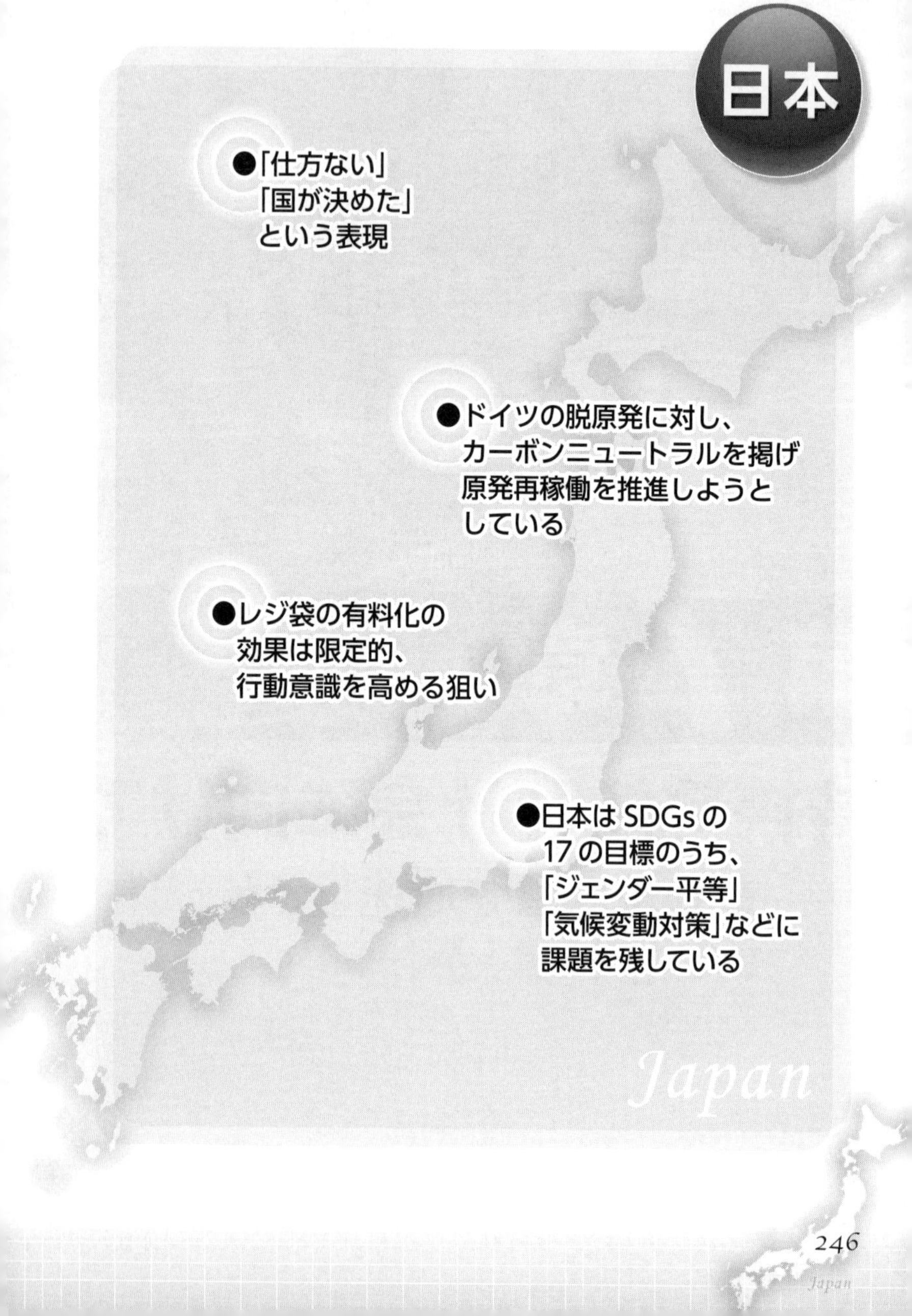

日本

●「仕方ない」
「国が決めた」
という表現

●ドイツの脱原発に対し、
カーボンニュートラルを掲げ
原発再稼働を推進しようと
している

●レジ袋の有料化の
効果は限定的、
行動意識を高める狙い

●日本はSDGsの
17の目標のうち、
「ジェンダー平等」
「気候変動対策」などに
課題を残している

Japan

■ドイツ人は
森を愛している。
自然と環境問題に対して
積極的

■福島原発事故後に、
脱原発を早めたドイツ

■実は電気問題以上に、
ガス問題が課題

■ビーガン、
ベジタリアンが
ブーム

■シェアリング
エコノミーが
盛ん

Deutschland

先進国のSDGs達成度ランキング

順位	国名	スコア	順位	国名	スコア
1	フィンランド	85.9	11	エストニア	81.6
2	スウェーデン	85.6	12	チェコ	81.4
3	デンマーク	84.9	13	アイルランド	81.0
4	ドイツ	82.5	14	クロアチア	80.4
5	ベルギー	82.2	15	ポーランド	80.2
6	オーストリア	82.1	16	スイス	80.1
7	ノルウェー	82.0	17	イギリス	80.0
8	フランス	81.7	18	日本	79.8
9	スロヴェニア	81.6	19	スロバキア	79.6
10	オランダ	81.6	20	スペイン	79.5

参照：Sustainable Development Report 2021

各国の家庭用電気料金の比較

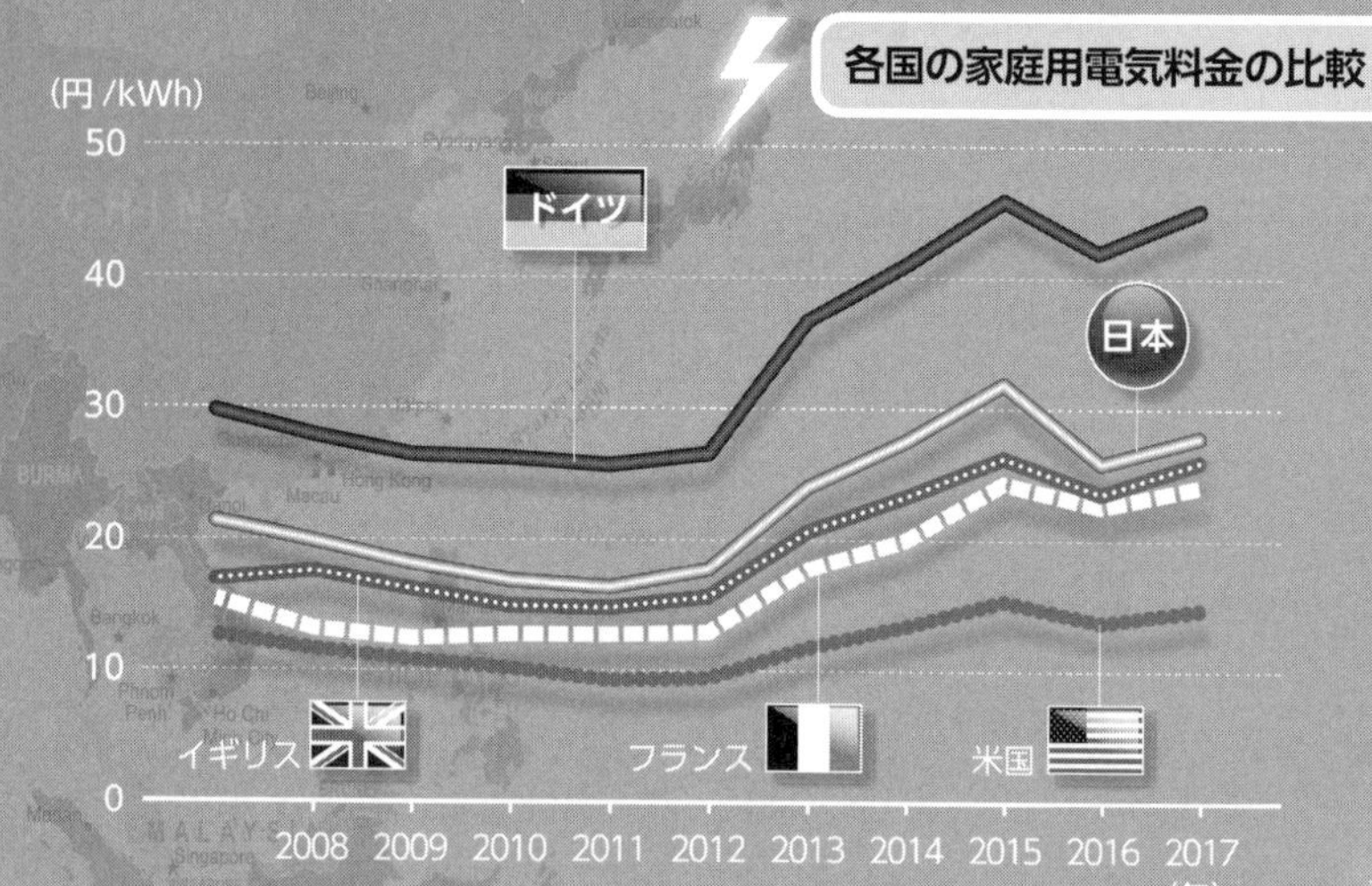

資源エネルギー庁 HP より引用
(出典) IEA「Energy Prices and taxed」を基に資源エネルギー庁作成

各国のエネルギーの割合

	ドイツ	スペイン	イギリス	フランス	イタリア	アメリカ	カナダ	日本
原子力	11	22	15	66		19	15	4
天然ガス	16	26	36	7	46	39	9	34
石油その他	2	5	2	1	4	1		9
石炭	24	2	2	1	7	20	7	31
自然エネ	47	45	45	25	43	21	69	22
再エネ比率（2020年）	47%	45%	45%	25%	43%	21%	69%	22%

（%）0・20・40・60・80・100

ドイツ　日本

自然エネルギー財団 HP より引用

注：自然エネルギーとは、水力、バイオエネルギー、地熱、風力と太陽光を含む。その他とは、再生エネ可燃物及び非指定物を含む。グラフにおけるデータは、発電所内の消費電力量を除いたネット発電量に基づく。
出典：IEA.Monthly Electricity Statistics-Data up to December 2020（2021 年 3 月）

Deutschland

「森の民」ドイツ人

マライさんは、ボン大学に通われていたんですよね。かつての西ドイツ時代には、ボンに暫定首都が置かれていました。私も以前訪れたことがありますが、とにかく森の中に街があるという印象の静かな場所でした。学生も多いそうですね。


感覚的には、街の住人の半分が学生という印象です。今のドイツの首都ベルリンは「連邦首都」と呼ばれていますが、ボンはそれに並んで「連邦都市」と呼ばれています。

もっとも実際には「連邦村」と呼んだ方が正しいかも（笑）。森と大学しかない街ですから。


初めてボンを訪れたのは、まだ首都がベルリンに移る前の頃でした。当時の仕事『週刊こどもニュース』の関係で、NHKのボン支局を訪れたんです。

NHKのテッシーこと手嶋龍一支局長（当時）がクルマで案内してくれましたけど、ひたすら緑の森の中を走っていたのが印象的でした。同じ首都でも東京はビルだらけですから、そこから行くと自然の緑の多さに驚きましたよ。

そのときの彼の言葉がまた印象的でね、「ドイツ人は、森の民なんだよ」と、こう言うんです。

「この国の人たちは、ひたすら森の中を散歩するのが楽しみなんだ」と言っていましたが、どうですか。ドイツ人がそこまで森や自然を愛していることが、ドイツ人の環境保護意識にもつながっているのかな、とも感じているんですけど。

確かにドイツ人は自然好きです。それもただの自然じゃなくて、大自然が好きなんですよ。人があまり手を加えていない、できればありのままの自然の中をただただ散歩したい。だから、ドイツでは各都市の周縁部に、わりと広大な「森」が広がっているんです。

北欧の人たちも同じような感覚でしたよ。フィンランド人は、「我々は森と湖の民だ」と言っていました。自然を愛するという点では、北欧もドイツも似ているのでしょうね。

手嶋支局長曰く、休日にボンの森の中を散歩していたら、当時のコール首相とばったり出会ったそうで（笑）。

政治家、しかも国を代表する立場にあるのに、一般の人たちと同じような生活ぶりだと知ると、親しみが湧くといいますか、ある意味、信頼度も高まりますね。

ときに、自然の趣きといえば四季。日本文化は四季の移ろいに敏感ですけど、ドイツ人も一応、四季を感じてはいる。ただ、感じ方にビミョーな違いがあるような。

日本人は、春夏秋冬の移り変わりを屋内に持ち込みますね。床の間のしつらえや季節の飾りつけ。旬の食材にも敏感だし、その繊細な感性が素晴らしい。

逆にドイツ人は、食に関してのこだわりが希薄で、家の飾りつけもイースターとクリスマスくらい。その代わり、森の中に踏み込んで、あるがままの自然を全身で体感したがる。

ちなみに、ドイツ人があまり食事にこだわらないというのは、本当ですか？

そうですね。毎日同じものを食べ続けてもわりと平気というか（笑）。

あと普通、旅先ではご当地の名物料理に興味を示すと思うんですが、ドイツ人だと、普段食べてるものをわざわざ旅先に持ち込んで食べ続けたりする。なんなんだ、それ（笑）。『美味しんぼ』の海原雄山に見せてみたいぞ、この圧倒的な食の鈍感力（笑）。

日本人でも、例えば海外出張で、現地に着くなりいきなりラーメンや餃子が食べたくなった……という「食の郷愁」みたいなエピソードを聞きますけど、そういうのとも違うんでしょうか？

絶妙に違うんです。郷愁と真逆な「オレ流への執着」みたいな。意味もなく自信満々なんです（笑）。
じゃあドイツの料理人はどうなんだといえば、「味ではなく調理手順にこだわる」感じですね。要するに、レシピに忠実であるか否かを気にします。まあ、プロセスが正確であれば結果的に味もそこそこ保証されるため、この問題はあまり顕在化しないんですけど（笑）。そのため「テクニック自慢」「鮮度自慢」「品質自慢」とかはあるけど、実は「味自慢」的アピールを聞かない。日本だと、そもそも「味の追究」のためにいろいろ工夫する感じですが、そこが逆転しているんです。だからドイツ人が日本のグルメ漫画とか読むと、多分いろいろ混乱したあげく、変な解釈をしはじめると思います（笑）。

あ、でも唯一、春の白アスパラガス「シュパーゲル」だけは別枠ですね。毎年、ドイツ人が季節の「味」を楽しみにしていると思われるものです。

ちなみに毎年、白アスパラ収穫のため東欧から季節労働者の方々に来てもらっていたんですが、コロナ禍以降、外国人が入って来れなくなったんです。それはドイツ人にとって一大事なので、大きくニュース化されていました。

最初は国内でバイトを雇えば何とかなるだろうと踏んでいたけど、どうもうまくいかない。白アスパラはとても繊細で、土の中から丁寧に掘り起こさないと途中で折れてしまうんですね。だから機械も使えない。やはり東欧の熟練作業員の手作業でないと！　ということで、結局ドイツ政府は特例で、白アスパラ収穫の達人たちを入国させたんです。白アスパラのために法律を歪めてしまう、それもまたドイツ！（笑）。

ところで「森の民」ドイツ人として、東京や大阪みたいな森のない大都会に暮らし続けるのは、かなりストレスがたまりませんか。

正直な話、たまに都会の喧騒から逃げ出したくなることはあります。では、その際どこに行くか？　在京ドイツ人の場合、奥多摩と鎌倉です。だから鎌倉を歩いていると、ドイツ人率が妙に高い。みんな同じ理由で首都圏を脱出して、森を求めて憩いに来ているんだと思います。

たしか、軽井沢も昔からドイツ人が多く出入りしていました。避暑地として外国人には人気の土地です。

手つかずの自然があり、しかも真夏も涼しくて過ごしやすい。だから、軽井沢にはやたらドイツパンの店があったりする。

そういえば、ドイツでは新しい建物を建設する際、周囲の環境に配慮しなくてはいけないと聞いています。

そうなんです。その点で簡単に建設許可が出ないんです。

例えば、建設予定地に珍しい種類のカエルが棲みついていたりすると、もう建設許可は下りません。ゆえに、近所に「嬉しくない」建設予定がある場合、反対派の地域住民は、まずそこに貴重な動植物がいないかを調べるんです（笑）。

だったらどこかで貴重な小動物を見つけてきて、予定地に放ってしまう作戦も（笑）。

そういえば、先ほどのマライさんの「味ではなく品質自慢」の件と多少関係するかもしれませんが、ドイツ南部、ニーダーバイエルンのオーガニック（有機農業）にこだわった酪農家に取材に行ったときのこと。

乳牛にしても養豚にしても、放牧して自然の中で育てているんですね。手間がかかるし、管理が大変なのではないか、と質問したのですが、「小屋に押し込めて育てるより、搾乳量も安定して質の良いものを出してくれるし、豚も肉質が良くなる。何より、口に入るものなんだから、抗生物質などの薬とは無縁の育て方をした方が安全・安心。割高になるし、農家としての収入がいいわけではないが、ニーズは確実に高まっている」と農家の方は言っていました。豚肉は直販・直送もしているので、若い世代には人気だそうですよ。

『週刊こどもニュース』で世界の人たちの環境問題への取り組みを取り上げたとき、ドイツの人たちは徹底的にリサイクルに力を入れ、生ごみもほとんど出さないと聞いて驚きました。最近でこそ日本も取り組み始めていますが、ドイツは環境先進国だなあと痛感しました。

農家の方も、すべてを循環させることを前提にしているから、オーガニックにこだわっているんですよね。持続可能な社会の実現は可能なんだ、と力説していました。

福島原発事故と脱原発の悩み

ドイツと言えば、東日本大震災後に、メルケル首相が脱原発を決めました。福島原発事故がきっかけでしたが、肝心の日本が脱原発路線に舵を切れていないのに、遠く離れたドイツで脱原発が一瞬で決まってしまった。驚いた日本人は多かったはずです。

あの原発事故に対するドイツ社会のリアクションは強烈でした。私も含めて、日本に住んでいるドイツ人には「すぐ帰ってこい！」という声が全親族から飛んでくるし、「日本の子どもたちをドイツに疎開させるべきだ」という声も普通に起こっていました。

その背景には、やはり旧ソ連時代のチェルノブイリ原発事故があるわけですか。

そう。当時、放射性物質がドイツにも流れてきて森や平野、畑や河川が汚染されました。折り悪しく雨も降っていたので、放射性物質が付着した森の葉が地面に落ち、土に浸透してしまったんですね。キノコ狩りが大好きなドイツ人にとって、森に「キノコを採ってはいけないエリア」ができてしまったのは大きなショックでした。しかもそのキノコを、今度はイノシシやシカといった動物が食べることでジビエ料理も危険になったり……。

そして重要なのは、ドイツでは、発生から数十年経っても、チェルノブイリ原発事故の放射能への警戒が「継続中」だということです。汚染エリアは今なお警戒対象で、地域住民の認識も高い。だからドイツ人にとって「脱原発宣言」というのは、潜在的にある程度の納得感がある話ではあったんです。それにより発生する矛盾をどうするんだ、という問題認識を抱えた上で。

ドイツに取材に行くたびに、「どうして日本は原発を続けるのか」という質問をよく受けます。「ドイツだってやめるのに」と。答えに窮しますよね。私個人の考えと、国の施策とは違うから、としか答えられなくて。

日本人からよく言われる二つの意見があるんです。一つ目は「ドイツすごい」「ドイツを見習え」というドイツ賞賛。もう一つは、「脱原発なんて偽善を言いやがって。フランスから原発電力を買ってるじゃねーか！」という嘲笑的な意見。

「職業：ドイツ人」ですからね。いろいろな声が集まってくると……。

そうなんです。とにかく人品があらわになる観察現場だなという印象が強い（笑）。

で、この問題で強調しておきたいのは、ドイツはもともと福島原発事故があってもなくても、どのみち国内的には脱原発に向かう予定だったということです。

メルケル前のシュレーダー政権時に、脱原子力政策を法制化していました。2000年には電力業界と交渉して、将来的に原発を完全廃止する合意もできていました。稼働中の原子炉の稼働年数を最長32年間と区切り、順次解体していくスケジュールも決定していたんですね。

ちなみにシュレーダー時代は、SPDと緑の党の連立政権。緑の党はご存じの通り「ザ・環境保護」党で、1980年の発足から一貫して脱原発を打ち出していました。

そして次に保守CDUのメルケル政権。メルケル自身、本来は原発推進派です。原発廃止の既定方針を覆(くつがえ)すことはありませんでしたが、最長32年だった残稼働年数を「8〜14年間」延長することにしました。

そうでした。その延長を決めた直後に、あの福島原発事故が起こったんですよね。それでメルケル首相は、自身の決定を一気に翻(ひるがえ)しました。

ええ。つまりメルケルも長期的な脱原発には合意していたんです。ただ当時、地球温暖化対策の方がより重要課題として認識されていた。現状での原発停止は、すなわち火力発電の比率上昇とCO_2排出の増加に直結する。総合的に見て、しばらくは原発に頼り続けるのが良いだろう、という判断だったのです。

しかし、そのシナリオは福島原発事故で崩れました。一気に国民のムードが変わり、ものごとの優先順位が変化した。そこでドイツ連邦議会が、2022年いっぱいでドイツにある原発を完全廃止することを決定したんです。

かつてのチェルノブイリ原発事故は、技術力が弱い、杜撰(ずさん)な管理体制の旧ソ連だったから起きたのだ、というのが当時のドイツ、日本も含めた世界中の認識でした。ところが、似たような事故が技術大国日本でも起きてしまった。確かに、きっかけは地震と津波という不慮の出来事でしたけど、どんな原因であれ、いざとなれば人間の力では100%コントロールしきれないものだという現実を直視せざるを得なくなった。ドイツの政策転換はその結果でしょう。

それでも、日本は脱原発路線には向かっていません。

やはりそこは、島国という条件もありますよね。だから「フランスから電力を買うドイツはズルい」という意見も、構造的には一理あるんです。とにかくフランスは、電力の約70%を原発で賄ってますから。

ここで一つ付言したいのは、ドイツは電力輸入国であると同時に、オーストリアやスイスなどへの電力輸出国でもあるということです。

つまり、電力が絶対的に不足しているわけではない。問題は発電のピーク時間帯で、これは自然再生エネルギーの発電メカニズムにかかる特質です。太陽光発電では日照が必要だし、風力発電では風が必要。フランスからの電力輸入は、そういった「発電量のムラ」をカバーする策の一環なのです。ちなみに2020年時点でドイツの自然再生エネルギーの割合は52・5%。最高レベルではないけれど、そこそこ頑張っているという感じでしょうか。

菅政権は「2050年までに日本はカーボンニュートラルを実現する」と宣言しました。温室効果ガスの排出と吸収を釣り合わせるというわけです。そのためには二酸化炭素の排出を大胆に減らさなければならない。その分は原子力発電所の増設で減らすという方針です。再生可能エネルギーこそ大幅に増やさなければならないのに。

ちなみにドイツのエネルギー問題の最大の焦点は、天然ガス問題です。エアコンなど日本の生活基盤的なエネルギーは電力主体ですけど、ドイツではガスです。夏が比較的過ごしやすいためクーラーはほとんど使わず、暖房は、水をガスで温めて建造物を循環させるセントラルヒーティングが中心です。

そしてそのガスについて、ドイツは、危険なほどにロシアからの輸入に依存している。ロシアからのパイプライン建設をめぐって、経済・外交・国防にわたって様々な問題が渦巻いています。

いま問題になっているのは「ノルドストリーム２」ですね。ノルドストリームは、ロシアからバルト海の海底を通ってドイツにつながる天然ガスのパイプラインです。これは２０１１年に稼働しているんですが、いま二番目のパイプラインを建設中です。ドイツまでガスが届けば、そこから先のＥＵ諸国にも送られます。これまでロシアからヨーロッパに天然ガスを送るパイプラインは、ウクライナを通っていました。ところが、ロシアとウクライナの関係が悪化すると、ロシアからの天然ガスがヨーロッパに届かなくなったりするものだから、ウクライナを通さずにバルト海の海底を通す計画が生まれました。ロシアにとってもドイツにとっても利益のある話だったんです。

ところが、アメリカが待ったをかけた。ロシアからのパイプラインが次々にできると、欧州がエネルギーでロシアに頼るようになり、ロシアの影響力が強まり過ぎるというわけです。

とはいえ、ノルドストリーム2は既に工事が95％も完成している。いまさらやめられないというわけです。この問題ではドイツとアメリカの主張が対立していて、解決策が見えません。

とにかく、ロシアがドイツの「急所」をガッチリ握っているという状況。そのカードを近い将来、どこか決定的な局面で巧く切ってきそうな気がして、私は不安です。

電力比率を見ながら、プランを乗り換えていく

現在、ドイツの一般家庭の電気事情はどんな感じですか。自然再生エネルギー比率が上がるほど、やはり電気代は上がりますよね。

ええ、理想は自然再生エネルギー100％だけど、そうなると電気代だけでえらいことになってしまう。だからドイツ人は、その「許せる範囲」について常に葛藤しています。

ドイツの日常感覚の特徴の一つは、自分が契約している電力プランの内訳をわりとしっかり把握していることですね。様々な電力会社が様々なプランを用意している。「原発53%、石炭火力発電40%」とか「再生可能エネルギー37・7%、化石燃料2%」とか、グラフでわかりやすく表示している。日常使っている電気の「出どころ」が可視化されているんですね。

ちなみにドイツに住む姉は、「まずは一番安いプランを探してきて、そこから原発比率をできるだけ下げていき、払えるラインで妥協している」と言っていました。また、頻繁にプランを見直すのもドイツ的。電力比較サイトを見比べたりして、「今年はこのタイプで行ってみよう」などいろいろ試している感じです。

でも、さすがですね。一般家庭が、ちゃんとエネルギーについて考えながら生活しているのは。日本は電力自由化になっても、そうそう電気プランを変える人は増えていません。

電力の可視化が一般的でないのは、ちょっと残念ですよね。というか、日本も電力自由化でいろいろ選べるようになった！　と期待しながらふたを開けてみたら、ぶっちゃけ説明が派手で長いだけで、中身の実態がよくわからない。「今加入するとお得」的キャンペーンや、「自然エネルギーを使っています」という漠然としたイメージが先行している感じです。でも、そもそも、みなあまり気にしていないのかな。スマホの料金コースの「わかりやすいようでわかりにくいお得感アピール」と似ているが、それでいいのか（笑）。

手続きや詳細が煩雑でない方が、わかりやすいという意見はあるのでしょうか。エネルギー政策や原発問題というと、いまだ日本ではちょっと遠い話のように感じている人が多いのだと思います。

でも実際の話、ドイツ人だって、高邁な理想を真摯に追究して環境問題に取り組んでいるばかりじゃないんですよね。昔からしぶとく変わらぬ教養権威主義のクサい側面というか、そういう領域で自分が「意識高い系」であることをアピールしている面もあるんです。

例えば知人や親戚の家に招かれた際、普通に電力プラントークが飛び交うんですけど、「お宅の電気はどういうプラン？」という質問に対して「原発20％です」とかは言えない、言えない（笑）。そこは「アタシん家は自然再生エネルギー重視ですの！」とさりげなくアピールしたい、というか、せねばならない。なぜなら、そういった表明一つで、教養や社会的地位、社会問題の認識レベルが評価されると強く思っているから。

ドイツ人は基本的に節約家ですけど、「節約してＯＫ」と「ここをケチっちゃダメ」の境界線が、暗黙のうちに存在しているんです。そこではもっとケチりたい「本音」と周囲からよく見られたい「見栄」がせめぎ合う。ドイツ人が全力でマウントをとってくる分野、それが「環境意識」でもあるんです（笑）。

なるほど、ドイツ人は「意識高い系」を自慢しているわけか。決して理想的状況というわけでもないんですね。でも、それで結果的に環境問題が少しでも改善されれば、それはそれでいいのかな（笑）。

ベジタリアンではもう足りない、ビーガン転向者が増える理由

意識高い系に絡む話題といえば、日本でも最近、ビーガン（完全菜食主義）のお店が少しずつでき始めています。ドイツではもうだいぶ前からベジタリアンやビーガンの人が目立ちますね。
スーパーの食材売り場を見ても興味深い。ソーセージやハンバーグだけど、材料は豆腐だとか。あれは肉を食べたいのか、食べたくないのか。なぜ豆腐でわざわざ肉を再現したいのか、などと考えさせられますね。

このジャンルは「パンドラの匣（はこ）」と言いますか、何を言っても面倒に巻き込まれるからあまり開けたくないんです（笑）。でも、確かに気になりますよね。
まず気になるのが、ドイツでベジタリアンやビーガン文化がなぜ浸透しやすかったか、について。

いきなりコアな話をさせていただくと、ドイツでは公共放送が、エグい内容のドキュメンタリー番組をよく流していたんです。食肉用に飼育されている動物たちが、たとえ丁寧に扱われていても、いかに根本的に可哀想な一生を送るのか、ひたすら悲惨な映像とナレーションを流して「あなたは自分が何を食べているのか、本当にわかっていますか?」という主張をバシバシと伝えてくる。あれを見てかまわず肉を食べ続けるには、まさに鋼鉄の意志が必要でしょう。

ああいうメディア的主張の影響力・浸透力は、特にテレビ全盛期ではかなり高かっただろうと思います。でもって、いわゆる意識高い系の人が感化されていろいろやり始めるわけです。

でもそうこうするうち、「ベジタリアン」くらいでは周囲に自慢できなくなってきた。もはやドイツ人の10人に1人がベジタリアンになった時代では、マウント取りも容易ではない(笑)。だから一段ステージアップして、動物性のものを一切摂取しない「ビーガン」ブームが来たのです。

ベジタリアンなら、牛乳やバターやはちみつパンの摂取がOK。それに対してビーガンは「牛がさんざん苦しめられてつくられる牛乳なんて」「みつばちは人間のためにせっせと蜜を集めているわけではない」という論理で、「高みの優位に立つ」ことが容易に可能となります。もちろん哲学的に真摯なビーガンの人もいますけど、正直、マウンティングの武器として「ビーガンしぐさ」を振りかざしているようにしか見えない人の方が、圧倒的に多い印象があります。

以前、両親と一緒にビーガンの人が日本に遊びに来たことがあって、あのときの苦労とストレスは思い出したくない……(笑)。

ニューヨークで暮らす人たちの話を聞くと、それと似たような感じですよね。日本でも、いわゆるインフルエンサーなどと言われる人たちのインスタグラムで「環境に配慮して」「持続可能な社会を目指すなら」とビーガンを実践しているという様子が発信されています。それがファッションリーダーだったりすると、若い女性の間では「私もお肉を食べるのをやめよう」と影響を受ける人が少なくないようです。美容にも環境にもいいから、と言うのですが、その行動にはマウントに近い、ファッションの流行のような要素もあるように見受けられます。

そうなんです。自分自身、このへんは偏見含みで語っている自覚はあるのですが（笑）、ベジタリアン業界内での軍拡競争みたいな原理がビーガンというグループを生じさせた、という面は絶対にあると思うんです。

一方、ずっと日本に暮らしていていきなり皆がビーガンになっていく図は、ちょっとありえないと思うんですね。日本では学校給食もあるから。アレルギーでもない限り、基本的に「みんな残さず食べましょう」という文化的な刷り込みもあったりする。その上で個人の主張として「動物性のものを一切食べません」という選択は、結構難しいと思うんですけど、どうでしょうかね。

学校給食はちょっと別かも。子どもでビーガン、はあまり聞きません。ただ確かに、様々な食材をバランスよく食べるのが健康の基本という考え方は、いくらテレビでダイエットや健康に関する番組を特集しても、変わらない。普遍的なもののように思います。
マライさんが先ほど述べていたように、日本人は美味しいものを食べることへのこだわりがドイツ人より強いのかもしれません。「和牛」のような日本ブランドや産地名を冠した肉は、牛・豚・鶏いずれもありますよね。栄養面はもちろん、美味しさを追求したものです。肉を食べない、というベクトルに向かいにくい条件が揃っているのは確かでしょう。

ドイツ人の42%は、もはや肉を食べなくなっているという数字もあります。しかしその一方、ヨーロッパで一番豚肉をつくっているのはドイツのはず。ヨーロッパでは、デンマークとドイツが豚肉産出国としてメジャーなんです。
実は、それがコロナ禍でも問題として浮上しました。ある食肉工場で300人のコロナクラスターが発生したんです。これまた東欧から労働者を受け入れて、メチャクチャ狭い寮に住まわせて、安い賃金で大量の安価な肉をつくっていた。そんなドイツの食肉産業の闇があらわになってしまったんですね。このときも「やはり肉はよくないよね」と、ベジタリアンやビーガンが増えたはず。

いま日本にある「大豆ステーキ」や「大豆ハンバーガー」は、まだ新奇な話題性、物珍しさが際立つ存在で、「意識高い系」顧客のみをターゲットにしている感はありますが、それでも中長期的な需要の伸びを見込んで、企業としても環境問題を意識しながら商品開発をしているのでしょうね。

そういえば農林水産省や民間企業では、牛のゲップや排泄物から発生する温室効果ガスを抑制する効果のある餌の開発に取り組んでいて、一部はすでに実用化されています。食文化、あるいは農業という観点でも、日本の場合は「肉を食べない」という選択をしないで済む方向で持続可能な社会を考えているのでは……。そうでないと、既存の農家はやっていけませんし。

食べることが大好きで、肉も嫌いではない私個人は、ベジタリアンやビーガンになることは限りなく不可能に近いです（苦笑）。量を多く食べるわけではないので、肉も含め、いろいろな食材をバランスよく美味しくいただく、という選択肢は、人生の楽しみとして残しておきたいです。

私も肉は好きですからねえ。肉は食べるけれど、環境への負荷をなるべく減らす、という取り組みが必要でしょう。せめて食品ロスを減らすとか、できることから始めたいですね。

「シェア」や「社会的責任」が日常的に語られる

最近ドイツ政府が公認した、地球環境対策で話題の認定システムが「緑のボタン（Grüner

Knopf)」です。ここしばらくアパレル業界では世界的にファストファッションが流行っていて、確かに安くて便利。でもその製造過程で何が行われているのか、わかりにくい面がありました。そのあたりをちゃんとチェックした「サステナブルな洋服」であることを証明するのが「緑のボタン」です。危険な化学物質が使われていないか、搾取的労働が行われていないかなど、いくつもの項目をクリアした「エコファッション」であることの公式認定ですね。

数年前、ヨーグルトで有名なフランスの大手食品メーカー「ダノン」が、製造過程で児童労働をさせていたことが判明して大問題になりました。従前、企業は基本的に利益追求していればよかったけど、実はそれだけでなく、社会的な責任を負うべきだという意識が浸透してきました。ドイツでは各メディアで連日報道され、様々な人が激しく議論していたこの問題も、日本ではなかなか話題にならず、期待ほどには議論が進まなかった記憶があるんですけど、この点はいかがでしょう。

日本だと、どちらかといえばネット上で告発的に話題となり、その後各メディアが追随した感じですね。時期的にみて話題化が欧米よりも遅れた印象はありますし、ネットでの論調が扇情的でバランスを欠いていた面もあったかなと思います。

ファストファッションのブランドが成り立っているのは、低賃金で材料も労働も確保できることが条件ですよね。アパレル関係の工場は中国が中心でしたが、現在はバングラデシュやベトナムなど東南アジアの国々にも進出しています。受け入れ国にも雇用が生まれて経済が潤うので、あながち間違った戦略ではないのかもしれません。

ただ、サステナブルな暮らしという観点で考えたときに、果たしてそれでいいのか。もちろん、各ブランドも自ら古着のリサイクルをはじめ、環境に配慮した行動をとっているという姿勢を見せてはいますが、すべてのことをWin-Winの関係でつなぐ、というのはなかなか難しいのかもしれません。

このコロナ禍で大打撃を受けた分野の一つがアパレル業界ですしね。どうあるべきかが根本的に問われている気がします。

消費者の意識も変わりました。例えば食べ物一つとっても、自分の口に入るものが正当な手順を踏み、地球環境や動物に配慮した工程でつくられているのか、日常レベルで気にするようになりました。

例えば鶏卵。これまでは農家もなるべく利益を上げたいから、狭いケージにたくさんの鶏を押し込めて飼育してきましたけど、それがあまりにひどいということで、ドイツでは飼育環境の改善が進み、2004年あたりから認証マークを導入したんです。

パッケージを見れば、どの国のどのような環境で、この卵を産んだ鶏が飼育されているのかがわかるようになりました。すべての卵に認証印が押してあり、実際、これが消費者から好評です。

いまや認証なしの卵を見かけることの方が少なくなった気がします。
ここにもやはり、純粋に環境配慮的な向上心と向上意欲的なマウンティングの相克があるわけですが（笑）、先ほど池上さんがおっしゃったように、ここは一つ、結果的に鶏の生活環境が改善されるならそれでよし、ということで（笑）。

日本では鶏卵業者が農林水産大臣（当時）に現金500万円を賄賂として贈ったとして事件になり、業者も元農水相も起訴されました。日本でもストレスを減らす環境で家畜を飼育する「アニマルウェルフェア（動物福祉）」に基づく国際基準案が国内に適用される動きが出たので、鶏卵業者が、業者に不利にならないよう大臣に要望して現金を渡したというわけです。動物のストレスを減らすという取り組みが、日本ではあまり知られていなくて、この贈収賄事件で初めて知ったという人もいるでしょうね。

日本では「卵は物価の優等生」と言われてきました。卵の価格は入札で決まりますが、この60年間、ほとんど大きな変動なくきているのです。栄養価も高く、毎日の食卓に欠かせないものになっています。それがにわかに「アニマルウェルフェア」が叫ばれるようになってきたので、業者が混乱したことも今回の贈収賄事件の背景にはあったのではないでしょうか。もちろん、動物福祉に配慮することは重要なことだと思いますが、環境への配慮と経済や家計への影響とのバランスを再構築しなければならない時期に来ているのではないかと思います。

日本の「SDGs」・ドイツの「アジェンダ2030」

ある時期から日本の街角で、スーツ姿の男性が胸に虹色のバッジを付けているのを目にするようになりました。あれは何だろうとずっと疑問だったんですけど、「SDGs」のバッジだったんですね。

今、日本のビジネス界ではSDGsがブームなんですよ。これは2015年の国連サミットで採択された「持続可能な開発目標（Sustainable Development Goals）」のことです。国連加盟国193カ国が参加して、2016年から2030年の間に、地球規模で達成すべき目標のことです。例えば「貧困をなくそう」とか「飢餓をゼロに」とか、「気候変動に具体的な対策を」とか17項目にわたっているんですが、これに企業として取り組むことがステータスになっています。

実はドイツでは「SDGs」という言葉があまり登場しません。代わりに多用されるのは「アゲンダ2030」というワード。「2030年までに達成すべきアクションプラン」ですね。
ただ、これまで見てきたように「SDGs」の課題って、そもそもドイツ人と親和性が高い気がします。

日本でもレジ袋有料化が始まりましたけど、ヨーロッパの方がだいぶ先に始まっていて、しかもその「有料」が高いんです。日本だと1枚3円とかせいぜい5円だけど、ドイツだと20〜30円する。ケチなドイツ人はさっそくエコバッグに切り替えて、最終的には有料のレジ袋も廃止されました。

日本に住んでいる私はその感覚が当時まだ染みついてなくて、デパートで下着を買ったら、そのまま「はい、どうぞ」と手渡され、むき出しのまま下着ドロボー気分で持ち帰ったことがあります（笑）。


レジ袋の有料化、エコバッグへの転換によって何が変わるか。環境省のＨＰなどを見てもわかりますが、そのこと自体で環境への負荷が大きく変わるわけではありません。日本国内のプラスチックごみに占めるレジ袋の割合は数％。要は、国際的な環境への取り組みが加速しているのに合わせて、行動意識を高めるという意味合いが強いようですよね。

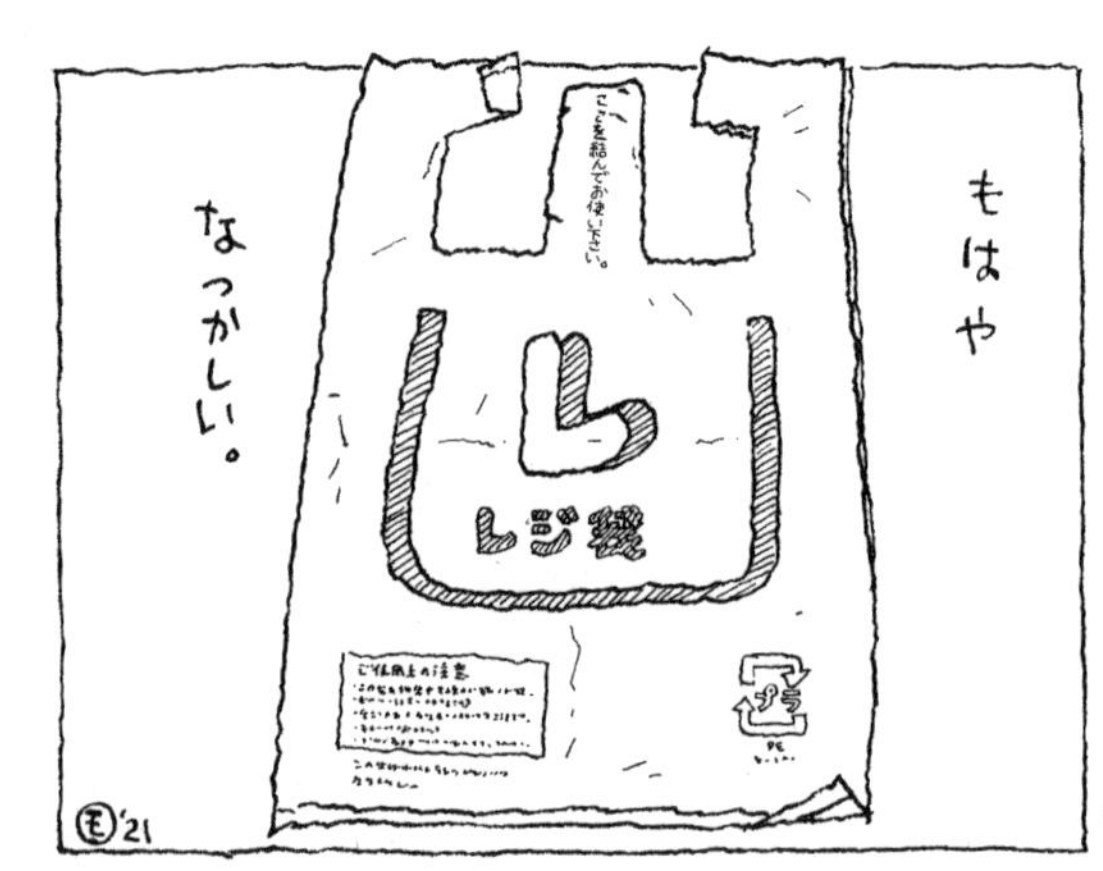

しかしこの新型コロナ禍で、エコバッグだと不衛生になるのではないかという意見や、レジ袋を使わなくなった影響でごみ袋の売り上げが2倍になったなど、矛盾する行動も目立ってきています。

そもそも日本は高温多湿ですから、O157（腸管出血性大腸菌）に代表される食中毒への対策として、プラスチックによる過剰包装が加速していった面もあるのではないでしょうか。コロナ禍以降、パン屋さんの中にはパンを一つひとつ個別包装するようになったお店も増えました。レジ袋を辞退しても、買ったパンをまとめて一つのビニール袋（取っ手がない）に入れてくれるお店もあります。その国ごと、地域ごとの環境もあり、一律の対策ではうまくいかないような……というのが実感です。

レジ袋に限っていえば、男性の場合、エコバッグを持参する人の割合が少ない印象があります。私の周囲でも、コンビニでも3円だから袋を買って入れてもらってしまう、という声が根強いです。

ごみの分別では、プラスチックを「燃えるごみ」とは別に収集することが進みましたが、最近はむしろ「プラスチックは燃やす」方針の自治体も増えています。プラスチックを焼却炉で燃やすと有害なダイオキシンが出ると問題になったことがあって、プラスチックごみの分別が進んだんですが、高熱で燃やせばダイオキシンが出ないことがわかりました。

そこで全国の自治体で焼却炉の建て替えが進み、現在では高熱で燃やすことができるようになりました。それならダイオキシンは出ないし、そもそもプラスチックは燃やすと高熱を出す。プラスチックを焼却炉の燃料として使ってしまおうという発想の転換が行われたんです。

カーシェアやルームシェア、日用品のシェア、賞味期限切れ食品専門のショップなどの取り組みも、ドイツでは以前から盛んです。ドイツ人の節約精神とも非常に合致しているからですけど(笑)。

カーシェアは、私も学生時代によく利用しました。といっても日本のカーシェアとはかなり違います。「明日、クルマでハンブルクに行きます」という人がネットに情報を出すと、それに賛同する人が「相乗りしたい」と打診する。料金の交渉次第で、列車やバスよりかなりお得に目的地まで行ける、という仕組みです。女性の場合はもちろん用心が必要ですけど。

最近はPumpipumpe(https://greenz.jp/2014/09/18/pumpipumpe/)というサービスも人気のようです。調理用品やラケット、キャンプ用テントとかパーティグッズって、たまに使いたいけど、わざわざ買っておくほどの必要はない。そういう品々を持っている人が自宅のポストにアイテムのシールを貼っておくと、それを借りたい人が直接その家を訪問して、必要なものを借りるというサービスです。

日本でもマイカーを持たずにシェアしようという動きが広がってきましたけど、ドイツのようにはなっていませんね。見も知らない人とシェアするというのは、日本人の心性にはちょっと抵抗感があるんじゃないかなあ。

みんなで「持続可能な社会」を目指して語り合おう

例えば何かシステムの導入を議論して、その結果どうにもダメそうなときなど、日本ではある時点から「仕方ない」という言葉が頻出する印象がある。これが、日本のアレコレを理解する上で一つの重要なキーワードという気がしてならないんですよ。

「仕方ない」――私も日本ではよく使っています。でも考えてみると、ドイツ語にはそういう言葉はなく、強いて言えば「なす術がない」……でも、めったに使いませんね。
私も日本で日本語しか喋っていないから、たまにドイツに一時帰国すると、やたら「仕方ないんだよ」ということを、ドイツ語で伝えようとしている自分を発見します。でも、頑張ったわりに無理（笑）。

「仕方ない」と、「なす術がない」では、似ているようで本質的にちょっと違いますね。
「なす術がない」と言われると、「いや、まだ探せば方法はあるでしょう」となりそうですが、「仕方ない」と言われると、本当に「ああ、もうどうしようもないんだな」と諦めてしまいがちです。

「仕方ない」という言葉からは、「もう他には選択肢がない」「万策尽きた」という意味合いが感じられます。もはや考えを放棄している状態ですよね。

でも、本当に世の中で「仕方ないんだよ」と諦められていることは、本当に万策が尽きた状態なのか。今回のお話で、いろいろ考えさせられました。本当は、もっともっと知恵を出して、考え抜けば、良い方法が見つかることもあるんじゃないかと。

そういうときにドイツがすごいなと思うのは、一見不可能なことのように見えても「ゴール」を設定してしまう姿勢です。メルケル首相も歴代の首相も、あるいは一般人でも「できる・できない」ではなく、まずは理想の「ゴール」を設定してみて、その後に「では、どういう方法があるか」を考えている気がするんです。

日本ではどうしても難しい課題を前にすると、「それは理想論だよ。現実には難しいよね」という話に最初からなりがちなので、そこは一つ、ドイツを見習える点かなと感じました。

ドイツのいろいろな取り組みを見ると、北欧、フィンランドの人たちとも似ているように見えるけど、増田さんはどう思う？　例えばフィンランドは原発から出る使用済み核燃料の最終処分場「オンカロ」を造るなど、着実に目標に向けて努力しているよね。

フィンランドの人たちを見ていて感じるのは、考え方が非常にシンプルで合理的だということ。問題の解決方法を考える際、どこかの国のように忖度とかしがらみとか、そうしたものに邪魔されない（苦笑）。エネルギー問題でいえば、フィンランドは森と湖の国といわれるほど自然が豊かだけど、国土に高低差がないから水力発電ができない。でも、自宅の裏の森にベリーやきのこを摘みに行って食卓に並べる生活を守るため、身近にある自然を守りながら安定的に電力を供給するためには、温室効果ガスを出さない原発を選択するのが現段階では一番の方法だ、と国民的合意ができている。

恩恵を受ける代わりに、安全の確保や情報開示の透明性の徹底、そして結果として残る「核のごみ」に関しても、自分たちで処理をするのが当然、と考えられる人たちなんですよね。

オンカロを引き受けた自治体に、高額の補助金が出ることもない。利権がらみではない極めて健全な考え方と行動だよね。

やるべき目標を達成するためにはどうしたらいいか。四の五の言わずにまっすぐに進むのがフィンランドだとしたら、「でも××だからできない」「理想はそうだけど現実には無理」と、すぐに諦めモードになるのが日本、という気がします。お金に左右される、という面も変わらないんでしょうかねぇ。

こうしてみると、「文化」というのは「言葉」によって規制されるものでもありますね。もちろん、文化が言葉をつくっていくんだけど、その実、「言葉」によって我々の思考や行動が規制され、導かれていく事実もある。

働き方、教育、社会保障、政治、環境問題……いろいろなテーマを見てきましたけれど、そのどれもが、日本人自ら、「仕方ない」「もう変わらないんだよ、日本は」と、諦めモードになってしまっている面もあります。

まずは「仕方ない」という言葉を追放してみると、意外と新しい世界が見えてくるのかもしれませんね。「仕方ないから、仕方ないという言葉を追放しよう」とか……。

マライさんが日独の高校生が政治について語り合ったときの話。政治は自分たち人間がつくっているものなのに、どこか若者は「政治は変わらない。仕方ないんだよ」と諦めてしまっていると。それがすごく印象的でした。

少し前から思っていることですけど、日本人って、政府のことを「国」と言うでしょ。「国が△△と決めた」とか。ニュースのヘッドラインでも、短いので使い勝手がいいのかもしれませんけど、実はそこは注意しなくてはいけないポイントで、実際は「国」ではなくて、「政府」なんですよね。

そうだね。「国の方針で」という表現は使いますけど、よく考えたらおかしいですね。「菅内閣は……」だよね。

たしかに。似ているようで違います。「国」と言った瞬間に、どこか人知を超えた何かすごく大きなものによって決定されてしまい、覆すことができない印象を受けてしまいますね。

ですよね。「国が決めた」という表現を使用した瞬間、自動的に諦めモードに入ってしまうとしたら、そこはしっかり意識しないといけないのかなと思います。国民が選んだ代表が政治家で、彼らが政策を決定している。それに賛同するのも、反対するのも、また私たち人間の役割だと思うんですよ。

たしかに、「言葉」が持つ力、印象というのは、案外大きなものですね。

さて、ここまで何時間も、日本とドイツの比較論議を展開しました。それで結局「日本とドイツ、似ているの？」と聞かれたら、やっぱり「どっちだろう」と悩みますね（笑）。

個人的に感じるのが、見かけや結果が似ていて、かつ、根拠やそこに至るプロセスがまるで違う事象がけっこうある、ということ。単純な相似性でないからこそ面白いし、「縁がある」とも言えるでしょう。

そもそも、同質性が「親近感」や「好ましさ」の指標になってはマズいと思うのです。同質性にしろ異質性にしろ、それぞれの奥底から「知的な面白み」を引き出してナンボでは？　という気がしてならない。やはり人間、局面を問わず、ユーモアとウイットこそ大事でしょう……って、それユーモア砂漠国家のドイツ人が言うか？　な話ですけど（笑）。

それはそうと、現在、かなり似た課題を日本とドイツが抱えているのは確かだと思います。少子高齢化問題を抱えながら、世界の覇権バランスが変化していく中で自分たちのポジションをどう構築していくか、対米・対中外交をどう展開していくかなど。

そのプロセスの中、互いに参考になることも少なくないはず。

今回の鼎談には、そういったポジティブな比較文化議論の試みという側面もあります。本音をぶつけ合いながら、相手を潰すのではなく、自らが伸びるような論議。もし読者の方が、本書を通じてそういう知的刺激を感じる瞬間があれば、とても嬉しいです。

私たちは、ついドイツを理想的な国のように見てきてしまった面があるような気がします。書店の店頭にはドイツ賛美系の書籍も目立ちますし。

でも人間がやっていることですから、すべて理想的なわけがない。見習うべきところ、参考にすべきところ、反面教師とするところ、それぞれを冷静に見ることが必要なんでしょうね。それを確認できただけでも収穫だったと思いますし、なによりマライさんの日本語能力の高さには脱帽です。

ホント！　マライさんの日本語能力は、日本人に勝るものがあります！　ドイツの話になるほどと頷きつつ、日本のことを振り返ってあれこれ考えるいい機会をいただきました。

ドイツに限らず、いろいろな国の事情を知れば知るほど、歴史の影響って大きいんだなと改めて思います。さらにその国それぞれに置かれた自然環境や地理的な条件も、当たり前ですが人々の暮らしと密接な関係にある。だからこそ、経済事情も持続可能な社会のあり方も、その国の状況に合ったやり方を考える必要がある。一律に同じやり方では、うまくいくわけないんですよね。

今回は、社会や経済の問題についてお互い語り合いましたが、個人的には、バッハに代表されるクラシック音楽、日本人にも親しみのあるグリム童話など、芸術や文学の話もできたら楽しいかもしれない、と思いました。作者や作品ゆかりの地を三人で訪ね歩きながら、その時代背景を探るとか⁉　夢は無限に膨らみます。マライさん、池上さん、ご検討のほど、どうぞよろしく！

おわりに

池上と増田がマライさんに出会ったのは、2年ほど前。二人がニュース解説を担当している番組のコメンテーターとしてマライさんが出演するようになったからだ。見た目ドイツ人のマライさんの口から、流暢な日本語で鋭い指摘のコメントが次々に飛び出してくる。しかも、冷静で的を射た発言は好感度大だ。いったいこの人はどんな経歴で、なぜ日本で暮らしているのか、「職業：ドイツ人」という肩書って何ぞや⁉ と、共演を重ねるたびにマライさんに対する興味・関心が高まり、一度じっくり話をしたいと思っていた。

現代史の追究をライフワークにしている池上も、移民・難民問題の取材を続けている増田も、強い関心を抱き続けている国、それがドイツだ。去年3月、コロナ禍で多くの人が不安に脅える中、メルケル首相が国民に向けて発したメッセージは、私たちの心に響いた。科学と論理にもとづき、民主主義の大切さを改めて強調しながらも、都市をロックダウンしなければならないことを、わかりやすく国民に説明したからだ。

以前よりメルケルのファンであることを公言していた著者の増田は、一段とメルケル首相が好きになった。池上は、それ以降、「国の指導者が発する言葉は、こうでなくてはならない」とさまざまな場所で紹介している。要は二人ともドイツが好きなのだ。

しかし、二人ともドイツとの出会いは別々だ。歳の差もあり、ドイツに抱く印象や感情も異なる。ベルリンの壁崩壊の歴史的事実に関しても、受け止め方は違う。

そんな二人のもとに舞い込んできたのが今回の企画である。マライさんとひざを突き合わせて話ができるなんてまさに絶好の機会だ。

コロナ禍という制約が多い中、対面では距離を置いての鼎談となり、時にリモートでも話し合いを重ねた。教養だけでなく、お茶目な姿やオタクな部分を存分に披露してくれるマライさんの話が二人にとっては面白過ぎて、深夜にまで及んだこともあった。

マライさんは極めて冷静で、本書が「ドイツ賛美論」に終始することを恐れていた。それは我々二人も同じこと。日本からドイツを見て、ドイツを知って日本を再発見する。その繰り返しによって、等身大のドイツと日本を知ることになったと思う。

この鼎談が、読者にとって新しい発見が含まれていれば幸甚だ。鼎談を設定してくださった三浦愛美さんと、ＰＨＰ研究所の木南勇二さんに感謝します。

二〇二一年七月

池上　彰
増田　ユリヤ

◉出典・引用一覧

■ 1-2　ドイツ占領地域と割譲地域
https://japan.diplo.de/blob/919070/bdc25c3718ca5f45c612c504839d2b16/broschure-teilung-data.pdf

■ 2-2　OECD 加盟諸国の 1 人当たり GDP
https://www.jpc-net.jp/research/assets/pdf/report_2020.pdf

■日本とドイツの有休消化率
https://welove.expedia.co.jp/press/40915/

■日本とドイツの総労働時間
https://data.oecd.org/emp/hours-worked.htm

■世界各国のワークライフバランス
https://ja.wikipedia.org/wiki/ ワークライフバランス

■日本とドイツの働き方の違い
https://www.japanclub-munich.de/wp/wp-content/uploads/2018/05/41af7adf9f94c4d36560a839aa41d477.pdf

■ 3-2　ドイツの教育システム
https://www.mext.go.jp/b_menu/toukei/001/08030520/021/001.pdf

■ G7+ 韓国　難民受け入れ貢献度比較
https://www.refugee.or.jp/report/refugee/2017/09/g7_17/

■大学進学率の国際比較
https://www.mext.go.jp/component/b_menu/shingi/giji/__icsFiles/afieldfile/2013/04/17/1333454_11.pdf

■ 4-2　育児休業・給付制度等の比較
https://www.mhlw.go.jp/content/11901000/000727936.pdf

■育児休業給付を受給した父親の割合（ドイツ）
https://www.businessinsider.jp/post-206372

■ 6 歳未満の子どもを持つ夫婦の育児・家事関連時間の国際比較
https://www.gender.go.jp/about_danjo/whitepaper/h30/zentai/html/zuhyo/zuhyo01-03-08.html

■ 5-2　ジェンダーギャップ指数 2021
https://www.gender.go.jp/public/kyodosankaku/2021/202105/202105_05.html

■「経済」の小項目ごとの評価
https://www.huffingtonpost.jp/2018/12/17/gender-gap-2018-japan_a_23618629/

■同性婚を認めている国
https://www.businessinsider.jp/post-177872

■選択的夫婦別氏制度に関する調査結果の推移
http://www.moj.go.jp/content/001271412.pdf

■ 6-2　ドイツの政党と議会
https://www.tatsachen-ueber-deutschland.de/en/germany-book-edition-2018

■ 7-2　先進国の SDGs 達成度ランキング
https://s3.amazonaws.com/sustainabledevelopment.report/2021/2021-sustainable-development-report.pdf

■各国の家庭用電気料金の比較
https://www.enecho.meti.go.jp/about/special/johoteikyo/3es_graph04.html

■各国エネルギーの割合
https://www.renewable-ei.org/statistics/international/

〈著者略歴〉

マライ・メントライン（Marei Mentlein）

翻訳・通訳・エッセイスト。シュレースヴィヒ＝ホルシュタイン州キール出身のドイツ人。２度の留学を経て日本との「縁」を深め、2008年より日本在住。通訳・翻訳・ドイツ放送局のプロデューサーにウェブでの情報発信と多方面に活躍。NHK語学番組『テレビでドイツ語』、テレビ朝日系列『大下容子ワイド！スクランブル』などに出演。著書に『ドイツ語エッセイ 笑うときにも真面目なんです』（NHK出版）がある。

池上 彰（いけがみ・あきら）

1950年、長野県松本市生まれ。ジャーナリスト。慶應義塾大学卒業後、73年にNHK入局。報道記者として、様々な事件、災害、消費者問題、教育問題などを担当する。89年、記者キャスターに起用され、94年からは11年にわたり『週刊こどもニュース』のお父さん役として活躍。2005年よりフリーになり、執筆活動を続けながら、テレビ番組などでニュースをわかりやすく解説し、幅広い人気を得ている。また、9つの大学で教鞭をとる。著書に『伝える力』『伝える力2』（ともにPHPビジネス新書）、『なぜ、読解力が必要なのか？』（講談社＋α新書）、『おとなの教養』（NHK出版新書）ほか著書多数。

増田ユリヤ（ますだ・ゆりや）

神奈川県横浜市生まれ。國學院大學文学部史学科卒業。長年、高校で社会科の教鞭をとりながら、NHKラジオ・テレビのリポーターを務めたことがきっかけでジャーナリストに。日本と世界のさまざまな問題の現場を幅広く取材・執筆している。テレビ朝日系列『大下容子ワイド！スクランブル』ではコメンテーターを務めるほか、池上氏との解説コーナーを担当。『教育立国フィンランド流 教師の育て方』（岩波書店）、『揺れる移民大国フランス』（ポプラ新書）、『メディアをつくる！』（共著 ポプラ新書）ほか著書多数。

◉企画・編集協力　三浦愛美
◉装画・本文イラスト　モリナガヨウ
◉装丁　一瀬錠二（Art of NOISE）
◉写真撮影（帯）宮下マキ　中西裕人　平松英明

第６章における「ドイツの謝罪・反省・賠償」の説明に関しては、
ドイツ在住の作家、六草いちか氏の協力をいただいた。

本音で対論！　いまどきの「ドイツ」と「日本」

2021年９月２日　第１版第１刷発行

著　者　マライ・メントライン
池　上　彰
増　田　ユ　リ　ヤ
発行者　後　藤　淳　一
発行所　株式会社ＰＨＰ研究所
東京本部　〒135-8137　江東区豊洲5-6-52
第一制作部　☎03-3520-9615（編集）
普及部　☎03-3520-9630（販売）
京都本部　〒601-8411　京都市南区西九条北ノ内町11
PHP INTERFACE　https://www.php.co.jp/
本文デザイン・組版・図版作成　齋藤稔（株式会社ジーラム）
印刷所　大日本印刷株式会社
製本所　株式会社大進堂

ISBN978-4-569-84989-8